二0二一年一月二十六号 阅 (室上本)

美国最权威营养学专家雷·斯丹博士最新力作

21世纪最畅销的营养补充品手册

别让不懂
营养学的医生
害了你

大众普及版

[美] 雷·斯丹 (Ray Strand) 博士 著

卢晟晔 译 成功世纪 审订

What Your Doctor Doesn't Know About
Nutritional Medicine May Be Killing You

中国青年出版社

（京）新登字 083 号

图书在版编目（CIP）数据

别让不懂营养学的医生害了你·大众普及版/〔美〕斯丹著；
卢晟晔译－北京：中国青年出版社，2009
书名原文：What Your Doctor Doesn't Know About Nutritional
Medicine May Be Killing You
ISBN 978－7－5006－8577－7

Ⅰ.别…　Ⅱ.①斯…②卢…　Ⅲ.保健－基本知识　Ⅳ.R161

中国版本图书馆 CIP 数据核字（2008）第 192170 号

北京市版权局著作权合同登记　图字:01－2008－4905

What Your Doctor Doesn't Know About Nutritional Medicine May Be Killing You.

Copyright© 2002 by Ray D. Strand.

Originally Published by Thomas Nelson,Inc.

Simplified Chinese edition Copyright© 2009 by Beijing Success Century Co.,Ltd.

Published by China Youth Press.

All Rights Reserved.The Licensed Work Published under license.

中国青年出版社　出版　发行

社址:北京东四 12 条 21 号　　　邮政编码:100708

网址:http://www.cyp.com.cn

责任编辑:刘霜　Liushuangcyp@yahoo.cn

编辑部电话:(010)64007495

北京中青人出版物发行有限公司

电话:(010)64017809 64066441

三河市君旺印装厂印刷　新华书店经销

700×1000　1/16　9 印张　2 插页　142 千字

2009 年 2 月北京第 1 版

2009 年 3 月北京第 1 版第 2 次印刷

定价:20.00 元

本图书如有任何印装质量问题,请与出版部联系调换

联系电话:(010)84035821

《别让不懂营养学的医生害了你·大众普及版》

中文版序言

得知《别让不懂营养学的医生害了你·大众普及版》一书由北京成功世纪公司和中国青年出版社联合推出，我感到非常激动。这已经是全球第11种版本了，这么多的人能够从中汲取预防保健知识及重获健康的信息，并因此而获益，使我感到惊喜万分。健康是一件珍贵的礼物，这必然得到失去健康的人们的首肯。我从事营养疗法已经14年多了，所帮助的重获健康者的数量仍在不断增长。书中与您分享的病例均来自于我的临床实践，这些患者一直很好。而且，越来越多的人遵照书中的知识而获得健康，越来越多的神奇故事发生在他们身上。

这本书揭示了氧化应激的过程，而这是70余种诸如心脏病、糖尿病、癌症、中风、阿尔茨海默症、帕金森综合征、黄斑变性等慢性退行性疾病的根源。换言之，它从身体内部腐蚀着我们。然而，对此我们并非毫无防范。我们的身体有最好的防御系统来阻止疾病的发展，这是处方药远不能及的。读这本书的时候，你不仅学到了科学的医学基础健康理念，同时也了解了如何优化身体内部的天然防御系统，使氧化应激重新得到控制。在生活中应用书中的知识，你就给自己提供了最好的保持健康的机会。

我常常震惊于我们被创造得如此神奇。我们的身体是阻止慢性退行性疾病发展的最佳防御体，而并非医生所开出的处方药，这点于我而言已经非常明确了。如你所见，营养补充是为了保持健康而并非治疗疾病。当给身体提供每日需求量的营养即我所说的细胞营养时，你的天然防御系统就得到了优化，这就给你重新控制氧化应激创造了最佳机会。不仅你的天然免疫系统得到了优化，而且，你的天然抗氧化系统和天然修复系统也得到了优化。如果身体获得了能够使其工作的最佳营养水平，它就拥有了神奇的自愈能力。

我希望你能应用书中的健康理念，与其他受益者一样保持健康。

雷·斯丹博士

2008 年 12 月 10 日

前　言

医生是以疾病为导向的。

医生研究疾病。

医生寻找疾病。

为了治疗疾病，医生们接受过严格的药剂学训练。在医学院里，药理学告诉他们身体如何吸收每种药物，而又在何时和以何种方式排泄它；哪些药物能通过干扰一些特定的化学反应过程来达到疗效，以及这些药物存在何种副作用，以便他们在疗效和潜在的危险之间权衡。

医生们了解药物，因此开处方时不会犹豫不决。想一下高血压、高胆固醇、糖尿病、关节炎、心脏病、中风和抑郁症患者正在服用的药物吧，而这仅是其中极小一部分。在与传染病作抗争的过程中，人们发现并开始使用抗生素，自此，医学理念随之转变为：攻击疾病。

医学界把这种主动攻击的态势和方法带入了 21 世纪，试图治愈所有的慢性退行性疾病。美国 1997 年进行的一项研究显示，仅在药房供应的零售处方就有 250 万张。处方药物的销售额在过去的 8 年中增加了一倍！

1990 年，美国人在处方药物上消费了 377 亿美元。1997 年这项消费增加到 789 亿美元。药物成为过去 10 年中保健消费增长最快的部分，年增长率达 17%（远高于通货膨胀率）。医生和保险公司将他们所有的希望都寄托在药物上，以期减缓慢性退行性疾病的流行。

多数人认为自己一直都很健康。但事实上我们（包括医生）每天都在损耗健康。我的职业生涯中每天都要告知患者在哪些方面失去了健康。一位患者可能得了糖尿病或者慢性关节炎；另一位患者可能刚刚经受了一次心脏病发作；还有一位可能患了扩散性癌症，只能再活一两个月。每位患者都希望保持或者重获健康，却并不知道如何去实现这个目标。

由于医生以疾病和药物为重，所以我们把大多数的时间和精力放在识别疾病的过程上，以便为患者开药或者制订治疗方案。

预防疾病是任何一位医生的首要工作，保持健康总比失去后再去重新获得更容易。当你希望知道最好的保持健康的方法时，医生是否向你提供这一信息呢？医学界对"预防医学"给予了大量的口头支持，甚至把它最大的医疗保险计划命名为健康维护组织。从各方面看来，预防医学都居于首位。

然而只有不到1%的保健资金用于所谓的预防医学上。实际上我们的预防医学计划多数也只是试图更早地检测出疾病。例如乳房X光造影、生化检查和PSA检查（一种前列腺肿瘤特异蛋白）的目的都在于尽早发现疾病。医生想知道你是否胆固醇过高，是否患有糖尿病或高血压。但他们很少花时间去帮助患者了解如何改变生活方式来保持健康。医生们总是忙于治疗各种疾病。

只有不到6%的医生接受过正规的营养学培训，几乎没有医生接受过关于营养补充方面的培训。

对于医生而言，没有什么比患者问他是否需要补充什么营养而更加难堪的了。过去我习惯给他们模式化答案："这都是骗人的。""维生素只能使你的尿液变得更贵。""只要饮食得当，就可以获得所有必需的营养成分。"如果患者还坚持询问，我就告诉他们一些可能对他们无害的营养补充品。在前23年的临床工作中，我完全不相信营养补充品。但是在后来7年里，通过对新近发表的医疗文献的研究，我重新审视了自己的观点，我震惊了，于是改变了医疗实践方针。

其他医生为什么没有像我一样对待营养学？首先，为了保护患者免受可能有损健康的营养品的影响，医生必须保持怀疑的态度。相信你见过许多兜售给患者的冒牌货。医生必须靠双盲对照试验结果确定临床医学标准。

我知道这是最直接有效的证据，所以在本书中介绍的都是临床试验结果。在这里提供的多数医疗研究并不是来自小报或其他参考文摘。它们往往出自于广受医学界尊崇的主流医学杂志，例如《新英格兰医学期刊》、《美国医学会杂志》、英国《柳叶刀》杂志等。

医生们反对营养补充的另一个原因，是因为多数人对退行性疾病的病因并不完全了解。他们认为基础科学研究者感兴趣的课题，并非是临床医学的重点。科学研究者与医疗工作者之间存在着明显的鸿沟。即使科学研究者在疾病的根源上获得了惊人的发现，仍然鲜有医生将其运用到患者身上。医生们只会坐等患者罹患这些疾病后才开始治疗。

医生们常常期待制药公司研发新药，制订新的治疗方案。不过正如你将从本书中看到的那样，实际上是我们的身体在抵御这些慢性退行性疾病，而不是医生们提供的药物。

虽然多数医生尚未了解本书介绍的概念，但事实不容否认。因为我已经在治疗疾病时采用了这些原则，而结果非常令人吃惊。我已经令许多多发性硬化症患者摆脱了轮椅，重获行走能力；帮助许多心脏病患者免除了心脏移植的必要。一些癌症患者已经痊愈；黄斑变性患者的视力获得显著改善；纤维肌痛患者又重新恢复了活力。营养性药物是很容易理解的主流预防性药物。

进入生物化学时代，我们现在已经能够判断每个细胞的每一部分正在发生的事情，也正在了解各种退行性疾病的本质。因此，我向那些愿意客观对待医学证据的医生们推荐这本书。

如果你是患者，不要期望你的医生们会立即改变观念。你的医生所不知道的，正是我花了 7 年的时间研究营养性药物相关的医学文献才得出的结论。事实上多数医生与普通人一样，对营养性药物感到陌生，但可以肯定的是：你的医生对营养性药物的无知可能会把你引向死亡。

作为一位患者，你也可以主动地保护自己的健康。

一个医生的转变

你也许从未听说过我，为什么要听从一个美国中西部小城市的医生的意见呢？这个问题问得好！正是因为如此，我希望你阅读本书的每一页，经历一个与我相似的历程，让我向你展示那些令我相信补充维生素可以保护并改善健康的医学案例吧！

请你一定要阅读或者至少翻阅一下全书。你可能会想先跳到讨论你的健康问题的章节，不过你应该重点意识到身体运作的基本条件以及如何自我保护，从而改善或维持健康。

我还有最后一个请求：由于受威胁的是你自己的健康和生命，所以我建议你听完我的意见，不要急于下结论。我只希望你是一个思想开放的怀疑论者——像最初发现预防性药物神奇功效时的我一样具有探索精神，虽然那时我已是一名好医生，但还需要学习更多的关于健康的知识。你是否也愿意这样做呢？

目　录

第二部分　战胜疾病

第一部分

转变观念

第 一 章

一个医生的转变

随着我妻子健康状况的不断恶化，我的心情沮丧到了极点。可我不单是一个焦虑的丈夫，还是一名医生。作为有着多年行医经验的医生，我回答过很多医学问题。多年前我毕业于科罗拉多大学医学院，并在圣地亚哥施恩医院攻读研究生学位。此后，在南达科他州西部的一个小城市里当了一名成功的家庭医师。后来遇到了莉兹并与她结婚。她的健康状况有一些问题，但是莉兹坚信只要嫁给医生，健康状况就能得到改善。可是她错了！

不久，我们的 3 个孩子相继出生，繁忙的莉兹累得快要倒下了。每个带孩子的妈妈都很劳累，但是莉兹看起来却更加疲惫。虽然她才 30 多岁，但她感觉自己已经快 60 岁了。

随着时间的流逝，她出现了更多需要靠药物解决的健康问题。到我们结婚 10 周年的时候，莉兹已经疲劳得经常挪不动脚步。她感到持续的全身性的疼痛、难以克服的疲劳，患有可怕的过敏症、反复发作的鼻窦炎和肺部感染。

经过反复检查，莉兹的医生最终诊断结果是纤维肌痛。身体反应包括一系列的症状——其中最痛苦的是慢性疼痛和疲劳。

在过去，纤维肌痛被称为心身性风湿病（即由心理问题引发的风湿病），医生们相信疾病的根源在于患者的心理状态。但在看到妻子所受的痛苦之后，我确信纤维肌痛其实是一种真实存在的、可以检测到的疾病。

为了能够继续坚持她所热爱的事业——训练和驾驭马匹进行马术表演，莉兹愿意接受任何治疗。疼痛和疲劳感让她无法工作。她变得非常容易疲劳，每天晚上 8 点必须休息，即便这样她还是挣扎着做一些家务劳动。

由于纤维肌痛是无法根治的，我所能做的事情只是持续地给莉兹用药物来减轻她的症状。我让她在晚上睡觉前服用阿米替林来帮助睡眠、服用抗炎药物减轻疼痛、服用松弛肌肉药物及吸入剂抑制哮喘和花粉症、服用特非那定治疗过敏症，而且后来不得不每周带她去打抗过敏针。尽管经过我的努力，并服用了上述药物，她的健康状况仍在逐年恶化。

1995 年 1 月，我们认为锻炼可能对她的健康有帮助。莉兹的体重已经有所增加，得制订个新计划来重塑体型。莉兹很努力，但并未完成她制订的计划。因为一次接着一次的感染令她痛苦不堪，而抗生素也往往不起作用。

3 月的时候，她患上严重的肺炎，呼吸非常困难，因为一侧肺叶已经完全感染而被堵塞。呼吸内科的医生们担心无法治愈，认为甚至可能需要外科手术进行摘除。我们咨询了一位传染病专家，他给莉兹使用了静脉抗生素注射、类固醇和雾化治疗。幸运的是，肺炎终于在两周内痊愈了。但是咳嗽却一直没好，而且还不得不持续进行数月的大剂量药物治疗。

但最让人担心的，还是她的疲乏症状日趋严重。莉兹每天只能下床活动大约两个小时。她的哮喘和过敏也很严重，她只能偶尔走到马棚去看一下她的马。莉兹病得非常严重，孩子们只得轮流休学在家照顾她。长期卧床使她连看电视或者阅读也会感到非常虚弱。虽然我表面上看起来很冷静，但内心却日趋绝望。

我多次拜访肺病专家和传染病专家。他们向我保证他们已在诊断莉兹时尽了最大的努力。当我问及她多久才能康复时，答案是 6～9 个月——或者也许永远都不能康复。

就在这个时候，我们的一位朋友告诉莉兹，她的丈夫也曾经得过像莉兹一样严重的肺炎，也经历过总是感到非常疲乏，后来他使用了一些营养补充药物，使他重新获得了力量。莉兹和她的朋友意识到我反对维生素补充疗法，所以莉兹知道她在试用之前要获得我的支持。但当她征求我的意见时，甚至连我也惊讶于自己的回答："亲爱的，你可以尝试去做任何你想要做的事情，我们这些医生显然束手无策了。"

付诸行动

说实话，我当时对营养或营养补充剂几乎一无所知。在医学院时，我在这方面没有接受过有意义的指导。并非我一人如此。在美国，只有大约6%的医生接受过营养学培训。医学院学生可以选修这一课程，但实际上并没有多少人这么做。正如我在前言中所说的，多数医生的教育都是以疾病为导向的，而且重点在药剂学——我们学习药物，学习为什么和在什么时候使用它们。

人们出于对医生的尊敬，便假定医生们在与健康有关的任何问题方面都是专家，包括营养学和维生素的使用。患者经常问我同样的问题——"你是否相信服用维生素能改善健康？"他们带来了各种各样的营养品向我咨询。我一般都会皱起眉头，随便看看上面的标签，然后把瓶子还给他们，说这东西对他们完全没有帮助。

我的出发点是好的：我只是不希望人们浪费金钱。我确信这些患者不需要补充营养，相信他们能从合理的膳食中获取所需的维生素。毕竟这就是我从医学院学到的东西。我甚至会引用一些医学研究来证明服用某些维生素可能会导致危险。但我没有告诉患者，我并没有花上1分钟的时间去考虑那些数以千计的、已经证实了营养补充剂对健康有益的科学研究。

但病重的妻子怎么办？在办公室里我也许还能保持职业医生的权威性，但在家里，我只是一个眼见妻子日益衰弱却帮不上任何忙的丈夫。所以我对妻子说："试一下维生素吧。还有什么好怕的呢？"

第二天，她的朋友买了许多维生素来到我家——主要是一些抗氧化剂：例如维生素E、维生素C和β-胡萝卜素等可以保护身体免受氧化损伤的营养品。莉兹急切地把它们吞了下去，还喝了两杯保健饮料。让我吃惊的是，不到3天，她就明显感觉好多了。为她感到高兴的同时我也很疑惑。随后的几天，她变得更加精力旺盛，她甚至能够熬夜了。在坚持服用许多药片和喝掉许多看上去很奇怪的饮料3周后，莉兹感觉非常良好，以至于停止了类固醇和雾化治疗。

3个月过去了，一切都在逐渐改善，莉兹的疾病完全没有反弹迹象。她散发出全新的生命力。当训练和照顾完马匹回来，她双眼炯炯有神。她不仅能够在马棚中工作，而且不再对干草、霉菌和尘土过敏。她不再一吃完晚饭就瘸着腿爬上床，甚至可以熬到半夜才睡觉。

如果没有亲眼看见这一转变，我无论如何都不会相信。当一切医疗手段和药物都无效时，难道凭"神奇的维生素"就能使她恢复了健康吗？莉兹不仅两侧肺叶都已康复，她的纤维肌痛症状也得到了戏剧性的改善。由于纤维肌痛的确是无药可治的，那么这到底是怎么回事呢？究竟是上帝创造的奇迹，还是莉兹最近重获健康是由于那些——令人可怕的——营养补充剂呢？

作为一个接受过医学教育的人，我决定亲自进行临床试验。我在我的患者中挑选了5名病情最严重的纤维肌痛患者并约他们就诊（一位医生约见患者——情况真是完全反过来了）。我把莉兹的情况告诉他们，并建议他们考虑补充维生素。我告诉每位患者不能确保这种"参考疗法"真的有效，就抱着试一试的态度吧。

典型的纤维肌痛患者深知无药可救，所以这5位试验对象都积极配合。3~6个月之后，每个人都因补充维生素而病情有所好转。他们并非都像我妻子那样戏剧性地好转，但是他们都受到了鼓舞，看到了希望。

其中有一位女患者病情非常严重。她曾经向梅奥医院和其他两家疼痛专科医院寻求帮助，但由于纤维肌痛的确没有有效的治疗方法，所以她无法得到根本性的解脱。一年以前，饱受病痛折磨的她曾企图自杀。现在，在服用了这些维生素以后，她给我打电话，哭着说："斯丹医生，感谢您使我重获新生！"

每个医生都喜欢听到这种话。在这些患者身上究竟发生了什么呢？因为我知道仅仅对5位患者进行的初步研究不足以对营养补充剂做出科学的判断，所以我需要进行更深入的研究。

氧化应激与疾病

一周之后，我拜读了肯尼斯·库珀医生的《抗氧化的革命》一书。库珀医生解释了一种被称为"氧化应激"的过程，他认为这就是慢性退行性疾病的根源——这类疾病实际上是困扰着当今人类社会的最大问题之一。这本书给了我很大启示。

众所周知，氧气是生命的必需品。但氧气对我们的生存也有着危险性。这就是所谓的"氧气悖论"。科学研究已经证明氧化应激，或称为自由基导致的细胞破坏，是超过70种慢性退行性疾病产生的根本原因，也是诱发冠心病、癌症、中风、关节炎、多发性硬化症、阿尔茨海默病和黄斑变性等疾病的原因，这个道理就像空气中钢铁生锈和切开的苹果会变黄一样。

身体的内部正在不断被锈蚀，所有这些慢性退行性疾病都是由于氧气的毒性作用直接导致的。实际上，氧化应激就是老化过程背后的主要原因。此外，我们的身体还在不断承受来自空气、食物和水源的污染。如果我们不抵制这些氧化过程，结果就是细胞遭受破坏而最终诱发疾病。

明白我们的身体是如何不断地遭受着氧化应激的侵蚀后，我对慢性退行性疾病的看法有了戏剧性的改变。例如，氧化应激可造成DNA损伤，那么它很可能就是癌症的罪魁祸首。这就开拓了抗氧化预防癌症的新局面。由于氧化应激还能导致关节炎、多发性硬化症、红斑狼疮、黄斑变性、糖尿病、帕金森综合征、克罗恩病等多种疾病，营养补充同样也可能帮助我们治疗和控制这些疾病。

库珀医生介绍了在达拉斯有氧中心进行的一些研究，目的是找出"超负荷训练综合征"的原因。意外的是，库珀医生发现有些过度训练的运动员最后都出现了严重的慢性疾病。他们都表现出一些氧化应激的症状，而超负荷训练综合征的一些症状也与那些纤维肌痛患者的症状惊人相似。

我开始怀疑氧化应激是否也是导致纤维肌痛的直接原因呢？这是不是我的妻子和其他几位患者在服用了高品质的抗氧化剂之后慢慢好转的原因呢？

这标志着我对氧气"负面"研究的开始。我对库珀医生的观点非常着迷，并且决定检验他所列举的研究。我开始搜集一切主流医学文献中与氧化应激有关的内容。

我查阅了1300多项同行评审的医学研究，研究内容是营养补充剂及其对慢性退行性疾病的影响。这些研究采用的是医生们喜欢的双盲对照试验法。绝大多数研究结果表明，采用最佳剂量的营养补充剂可以对患者的健康状况起到明显的帮助，而这些最佳剂量都是远远高出RDA（每日推荐用量）水平的。

营养补充疗法

一旦了解了日常生活中氧化应激对身体的巨大危害，你就会意识到优化自身天然防御系统的重要性。健康和生活完全取决于它。通过研究，我认识到对这些疾病的最坚固的防御就是我们天生的抗氧化系统和免疫系统。它们比任何药物都更为重要。

我的研究结论来自于那些把营养补充剂作为药物治疗的补充而并非替代药物治疗的研究结果。但事实上营养药物是传统药物中效果最好的，因为它才是真正的预防性药物。补充营养并不是为了根治疾病，而是为了促进健康和活力。

在查阅了相当多医学研究结果之后，我确信那些服用了高质量营养补充剂的患者健康状况要优于没有服用的人。虽然患者可能会患有特定的疾病，但在推荐补充营养时，我并不一定会去用药物治疗那种疾病。我只是让这位患者按照医学研究得出的符合健康要求的最佳剂量去补充营养。我把这种保健方法称为细胞营养法，它使我们保持精力充沛。

我在这本书里记录的每个案例都是真实的。我采用了一些化名，以保护患者隐私，但是故事里的患者朋友们都愿意在此与你分享其中的每一个细节。莉兹就是我最好的病例。顺便说一下，她目前的健康状况仍然非常良好，现在，她不再被持续性疼痛及长期卧床所困扰，她有足够的精力去享受做妻子和母亲的乐趣，而且也可以从事她热爱的马术事业了。

第 二 章

活得短暂，死得艰难

回顾过去的一个世纪，人类对抗疾病的战果显著。20 世纪初，人类死亡的最主要原因是传染病。当时美国四大死亡原因是肺炎、肺结核、白喉和流感，人均寿命只有 34 岁。但 20 世纪后半叶由于抗生素的发明和发展，即使在 80 年代艾滋病流行，传染病所导致的死亡率也得到了大幅下降。

步入 21 世纪，人们主要受慢性退行性疾病困扰，而且往往因此丧命。它们包括冠心病、癌症、中风、糖尿病、关节炎、黄斑变性、白内障、阿尔茨海默症、帕金森综合征、多发性硬化症和类风湿性关节炎等。在过去的一个世纪中，美国的人均寿命已大幅度延长，但生活质量却受到慢性退行性疾病的严重影响。

著名的免疫学家和微生物学家迈仑·温特兹医生在一次讲座中描述道，我们实际上是"活得短暂，死得艰难"。温特兹医生还帮助我了解到氧化应激对健康危害的严重性和细胞营养的重要性。

敲响警钟

你想活多久

你想活多久？抛开生活质量不谈，先看一下在人均寿命和卫生保健方面，美国与世界上其他工业化国家相比情况如何。衡量一个国家卫生保健系统水平的根本指标之一就是死亡率。

20 世纪 50 年代美国的人均寿命在最发达的 21 个工业化国家中排名第七。从那时开始，美国的卫生保健费用就已经远比世界上任何一个国家都要多。1998 年，美国的卫生保健费达 1 万亿美元，约占美国国民生产总值的 13.6%。这个数据已经比排名第二的国家高出不止一倍。美国具有 MRI 和 CT 扫描仪、血管成形术、心脏搭桥手术、全套的人造髋关节和膝关节、化学疗法、放射疗法、抗生素、先进的外科技术、先进的药物和重症护理等医疗手段。那么所有这些先进的医疗到底有没有提高美国的人均寿命呢？

1990 年，与 40 年前相同的 21 个工业化国家相比，美国的人均寿命排名落到了第十八位。虽然已经在保健方面花费了上万亿美元，美国现在却被视为人均寿命最短的工业化国家之一，美国所宣称的世界上最好的卫生保健系统实际上却几乎是最差的。

不管你想活多久，想象一下生命最后 20 年里的样子，你花的钱值得吗？

生活质量

现在人们已不再那么关心他们能活多少年，就像他们以前不那么关心他们的生活质量一样。在评估卫生保健水平时，人们能生存的年数已经不再是最重要的。如果因为得了阿尔茨海默症而连自己最亲的家人也不再认识的时候，谁还愿意活到老死呢？谁愿意忍受退行性关节炎剧烈的关节痛或背痛呢？人们空前地受着帕金森综合征、黄斑变性、癌症、中风和心脏病的威胁，病死的比老死的要多很多。

超过6000万的美国人都患有某种形式的心血管疾病，超过1360万人患有冠心病。虽然在过去的25年里，死于心血管疾病的人数已有所下降，但在美国仍是导致死亡的首要原因。每年150万人次心脏病发作，其中大约一半或者说超过70万次导致了死亡。遗憾的是，大约一半的死亡发生在心脏病发作后的1小时内，根本来不及送患者去医院。超过30%的心脏病病例的首要表现就是猝死。这使我们失去了改变生活方式的机会。

虽然已在癌症研究和治疗方面投入了巨资，但癌症还是美国排名第二的死亡原因。1995年，癌症的死亡数字是53700人；在过去的30年中，死于癌症的人数逐年增长。

美国在过去的25年中拿出超过2500万美元进行癌症研究，但癌症死亡人数根本没有相应降低。在癌症治疗方面取得的最伟大的进步，在于对某些癌症能够更早地进行诊断——而治疗手段却不能令人满意。

有些患有一种名为黄斑变性的能影响视力的慢性病患者，他们每半年去拜访一次眼科医生，能做的事情只是继续预约下半年的复诊。令人沮丧的是医生所能做的事情也只是记录他们的病情发展。有时激光治疗可能起些许疗效。

如果你爱的人得了阿尔茨海默症，你肯定会强烈地感到治疗的徒然。看着父母慢慢丧失心智，完全地迷失在自己身体中，这是一件极痛苦的事。

现在让我们重新开始。如果医生们能诚实地面对自我，就必须承认给上述患者提供的治疗方案没有多少用。我们不能像攻克传染病那样去攻克这些疾病。现在，医生和患者们都同样必须长期和密切地关注如何解决保健问题。

预防医学

绝大多数患者都认为得一两种慢性退行性疾病在所难免。他们把药物看成救星，认为吃药就能痊愈。可悲的是，只有得病后才发现医生的治疗方案是多么无效。

第二次世界大战后出生的人们到了50岁后会更重视他们的健康。一位好友告诉我，他只想活到死去。你是否也希望如此呢？我的答案是肯定的。从医30多年以来，慢性退行性疾病给我和患者带来的痛苦，让我深感不安。

这就是我写这本书的原因，也是提倡预防而非事后治疗的原因。不过我需要对我所说的预防做出一个定义。

传统的预防医学（早期诊断）

医疗保健行业在推广预防措施方面常常自我标榜。医生鼓励患者进行常规检查以保持健康。但仔细看一下医生的建议，你就会明白他们只是想尽早发现疾病。医生常规地进行巴氏涂片检测、乳房 X 光造影、血液检查和体检只为找出患者身上的潜在疾病。他们预防了什么？

显然越早发现疾病对患者越好。但我想强调的是，医生和医疗保健行业实际上并没有花什么时间和精力去教育患者如何保持健康。医生们大都忙于治病，而没时间考虑如何教育患者以何种生活方式能预防退行性疾病。

真正意义上的预防医学

如果我们称某些东西为预防性的，那么我觉得它就应该真正能够预防些什么。我建议真正的预防医学应该包括鼓励和支持患者采取下列三个步骤：**健康饮食、坚持锻炼和服用高品质的营养补充剂。**

使患者能够事先预防这些疾病才是真正的预防。但多数人非要等到健康状况出现问题，才愿意改变其生活方式。

健康生活三要素

有氧运动

身体本身就是抵抗疾病最强有力的防御工事。肯尼斯·库珀医生是预防医学领域中最优秀的医生之一。他在 20 世纪 70 年代初期就已经提出了有氧运动的概念并开始积极推广。

这一真理在 30 年前就得到了医学验证。我还记得当时医生们对是否应该建议他们的患者进行体育锻炼而展开的辩论。库珀医生坚持他的看法并且不断地宣传患者能从体育锻炼中得到帮助。20 世纪 70 年代末，多数医生都已就此观点达成共识，并开始鼓励患者适度锻炼。

20 世纪 80 年代初期，美国医疗总署发表声明，列举了适度锻炼能对身体健康带来的各种好处。这些好处主要包括：

- 减轻体重
- 降低血压
- 增强骨质，减少骨质疏松症的可能性
- 提高"好的"高密度脂蛋白水平
- 降低"坏的"低密度脂蛋白水平
- 降低甘油三酸酯（脂肪）水平
- 增强体能和协调能力，减少跌倒带来的损伤
- 提高胰岛素敏感度
- 增强免疫系统
- 增加整体舒适感

一看就可以相信：适度体育锻炼是预防疾病的重要选择。

健康饮食

健康的饮食习惯是什么？医生们也已经发现采用包括每天至少 7 份水果和蔬菜的低脂肪食谱的患者在健康方面更为得益。这些好处包括：

- 减轻体重
- 降低患糖尿病的风险性
- 降低患心脏病的风险性
- 降低患上各种癌症的风险性
- 降低患高血压的风险性
- 降低胆固醇增高的风险性
- 增强免疫系统
- 提高胰岛素敏感度

- 增加活力和集中注意力

要明白：健康的饮食对你只有好处！

营养补充

根据过去 7 年中研究过的医学文献，我确信服用高品质的营养补充剂可以显著改善健康状况，即使你现在仍然非常健康。我简单列举营养品对身体的好处：

- 增强免疫系统
- 增强抗氧化防御系统
- 降低患冠心病的风险性
- 降低患中风的风险性
- 降低患癌症的风险性
- 降低患关节炎、黄斑变性和白内障的风险性
- 有可能降低阿尔茨海默症、帕金森综合征、哮喘、阻塞性肺病和许多其他慢性退行性疾病的可能性
- 有可能提高一些慢性退行性疾病药物的临床疗效

如果患者坚持健康饮食并且摄取维生素的话，他们的高血压、糖尿病和胆固醇过高的问题也许不需用药物就可能改善。

几乎所有的医生都同意患者在服用药物治疗这些慢性病之前应该尝试改善生活方式。但事实上，多数医生只是口头描述一下所谓的好的生活方式，而没有真正指导患者应该如何去做。因为医生通常都会假设大多数患者永远也不会改变生活方式，所以唯一的救星就是药物。当医生一诊断出患者得了高血压、糖尿病或者胆固醇过高时，他就会马上开处方进行药物治疗。

给患者一个选择的机会

最近七八年，我采取了另外一种态度：我把药物当做最后一招而非第

一招。实际上很多患者只要有一点儿可以不用药的希望时，都会选择避免药物治疗。对于病情严重的患者，必须立即进行药物治疗。但我也告诉他们如果改变生活方式，随着时间的推移，仍有机会减少甚至停止使用药物。

人人都知道适量运动和健康饮食的好处。但是，几乎没人（尤其是医生）知道服用高质量营养补充剂对健康的好处。我就曾是这些没有见识的医生中的一员。但是无数研究证实健康饮食、适当锻炼和补充高质量营养这三者的组合才是保证身体健康的最佳方法。这也是人们在失去健康后想要重新获得它的最佳方法。

戴维的故事

戴维是犹他州的一名驾照考官，身体一直很棒，从来不用吃药。1990年开始发现腿部虚弱无力。那年春天，他步履蹒跚，而且经常摔跤。他到处求医，一位神经科专家最终诊断他患了一种罕见的白质脑病。

神经科专家告诉他，这是一种神经脱髓鞘的脑病，与迄今仍无法医治的多发性硬化症颇为类似。医生告诉他基本没有希望了——这种病通常会持续恶化直到死亡。

戴维被这一噩耗击垮了。这种从未听说过的疾病，变成了致命杀手。正如医生所预言的那样，戴维变得越来越虚弱，他开始头晕，大小便失禁。到了1993年春天，戴维只能依靠轮椅。到了1995年6月，戴维的腿疼得要靠吗啡止痛。生活对于他来说已经丧失了意义。

1995年11月，戴维在一次严重的流感后变得更加虚弱，腿和手臂变得冰冷，仿佛已停止了血液循环。医生告诉他和家人，他已经不大可能恢复了，估计还能再活一两个星期。

戴维此前加入了临终关怀计划，他可以选择待在家中。他和家人开始筹备后事。戴维向家人和朋友依依惜别，他们为即将失去深爱的彼此而深感悲痛。他早在几年之前就已经接受了即将死亡的现实，正如医生们所预测的，这个时刻终于来临了。

但戴维还是熬过了圣诞节。虽然不能起床，但没有死。

后来，戴维认识了我，决定尝试补充一些营养剂。他服用了一种抗氧化剂、一种矿物质和一些葡萄籽精华素。不到5天，他就发现自己睡眠减少了，而且感觉体力有所恢复。服用营养补充剂数周之后，他已经可以偶尔下床活动了。母亲节的时候，孩子们居然能够把他推到花店，像往常一样为他的妻子和母亲买礼物。继续服用一段时间之后，戴维变得越来越强壮，重燃生活希望。

戴维记得 1996 年夏天看过的电影《罗伦佐的油》，那个小男孩罗伦佐也得了一种与戴维相似的脑病。看电影的时候，戴维惊奇地发现罗伦佐的治疗方法中最重要的，而且似乎正是阻止了病情恶化的疗法，就是葡萄籽油。戴维意识到自己使用的葡萄籽精华素很可能就是显著改善病情的主要因素。他很快发现，这种精华素是一种非常有效的抗氧化剂，可以被大脑中的液体迅速吸收。

戴维开始增加葡萄籽精华素的用量，并且继续坚持服用其他抗氧化剂和矿物质，他的健康状况获得了惊人的改善。他腿部的疼痛逐渐消失，并且能够重新行走了；他腿部的力量逐渐恢复，大约两个月后，戴维 3 年来第一次独自走进教堂。走路的时候仍然拖着腿，但他毕竟已经在行走了！

戴维的医生停掉了吗啡，并且记录下了他的好转过程。虽然医生还是无法相信，但是他也无法否认这一事实。戴维最大的成就是他能够重返考场并且通过了驾照考试。一直是考官的他，自己终于重获驾驶执照。

戴维的疾病仍然没有痊愈。但是，疾病不再操纵他的生活了。走路的姿势仍然有点儿滑稽，但他并不介意。每次看到戴维我都很高兴。看着他进步是件很快乐的事情，因为这使我相信使用营养剂能为患者带来希望。

你是否害怕变老？你是否认为慢性疾病是不可避免的？你是否愿意为了健康而改变生活方式？我相信人们的体质不一定过了 40 岁就走下坡路。我相信你生命的每一年都能过得更好。是时候去改变"活得短暂，死得艰难"的现状了！但是，首先你必须理解那场正在我们每一个人身体内部进行的战争。

第 三 章

体内的战争

氧气的负面效应

把你的背往后靠，闭上眼睛，注意力集中到呼吸上。慢慢放松肩膀，尽量深深吸一口气，然后缓慢地吐气，如此反复做几次。吸气的时候感觉整个身体都在膨胀，一直到脚趾。停一下，慢慢地吐出。感觉很好，不是吗？进入肺里的空气给我们带来生命。当我们在有氧运动或者奔跑中加快呼吸节奏时，我们会感到神清气爽，甚至会有一种快感。

作为医生，我喜欢想象自己身体内部的细胞正在发生的事情，氧气通过鼻子进入肺里，生命就像一个复杂而神奇的熔炉。每次呼吸，肺里就充满了富含氧气的新鲜空气。随后氧气分子通过薄薄的肺泡壁进入流经的血液。它黏附在血液中的血色素上，跳动的脉搏把刚经过氧化的血液传输到身体的各个部分。随后血色素释放氧气，使它进入细胞产生能量和生命力。

体内的每个细胞里都有一种称为线粒体的"壁炉"。想象一下你坐在熊熊燃烧的温暖的炉火前。大多数时候它都烧得安全而平静。但是偶尔也会蹦出一个火星落在你的地毯上，烧出一个小洞。仅仅一个火星儿不会带来太大的威胁，但是如果火星儿日复一日年复一年地蹦出，你炉子前面的地毯就会变得千疮百孔。

　　同样，细胞中这种精微的结构——线粒体，可以通过传递电子释放氧气，从而产生以 ATP（三磷酸腺苷）形式存在的能量，并生成副产品——水。这一过程在 98% 的情况下都是精确无误的。但是并非总是如此，因此，"自由基"产生了。

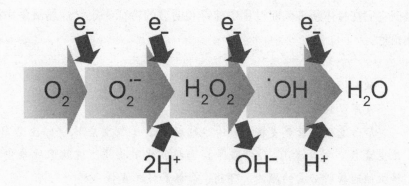

$$e_- \qquad e_- \qquad e_- \qquad e_-$$

$$O_2 \quad O_2^{\cdot-} \quad H_2O_2 \quad \cdot OH \quad H_2O$$

$$2H^+ \qquad OH^- \qquad H^+$$

氧气还原成水的化学路径

　　每个从炉火里蹦出的火星儿都代表一个自由基，地毯则代表你的身体。不论身体的哪部分受到了自由基的侵害，都有可能发展为退行性疾病。如果是眼睛，你就可能得黄斑变性或者白内障。如果是血管，你就可能得心脏病或者中风。如果是关节，你就可能得关节炎。如果是大脑，你就可能得阿尔茨海默症或者帕金森综合征。随着时间的推移，机体就可能会像炉火前的地毯一样：千疮百孔。

　　我们刚才想象了氧气"光明"的一面，以及它为我们带来的生命（就像炉火为我们带来的温暖），但是我们也无法否认它的另一面。这是我们中间许多人从来都没听说过的：不受约束的自由基能导致死亡，也称氧化应激。

　　氧化应激几乎是所有慢性退行性疾病的根本原因。虽然这一过程发生在身体内部，但是从身体表面的皮肤更容易观察到正在发生的氧化应激。你有没有看过几代同堂的家庭合影呢？如果仔细地观察他们的皮肤，就可以发现家庭成员中年纪最小者和最大者的皮肤有很明显的差异。而这一效果正是氧化应激对皮肤的影响。同样的蜕变也正在我们身体的内部发生着。

　　通过生物化学研究，我们逐渐意识到退行性疾病，甚至衰老过程的根本原因就是由自由基导致的氧化应激。

　　从化学角度考虑，自由基的强烈作用为产生光猝发。若未被完全中和，自由基可能触发危险的连锁反应。你是否知道你的身体内部在进行着一场战争呢？随着日复一日的氧气破坏，一场生死攸关的战争发生了。我们根据它们在身体新陈代谢过程中神奇和明显的特征来定义这场战争中的具体角色：

> 敌人：自由基。
>
> 友军：抗氧化物质。
>
> 后防支援：营养支援——B族辅助因子（维生素 B_1、维生素 B_2、维生素 B_6、维生素 B_{12} 和叶酸等）和抗氧化矿物质。这就像战争中保持机械运转所必需的燃油、弹药、食物和技工支援一样。
>
> 敌军增援：可导致身体产生更多数量自由基的条件，例如空气、食物和水源的污染，过度的压力，错误的锻炼方法等。
>
> 流动野战医疗队：修复受伤的自由基的部队。

　　自由基主要是指外层轨道上至少有一个未配对电子的氧分子或氧原子。细胞内正常的新陈代谢利用氧气生成能量（称为氧化），自由基就在这个过程中产生。它们带有电荷并试图从附近的任何分子或物质中吸取电子。它们的运动非常强烈，从化学角度讲，可以在体内形成光猝发。如果这些自由基不能迅速地被抗氧化物质中和，它们甚至可以产生更不稳定的自由基，损伤细胞膜、血管壁、蛋白质、脂肪乃至于细胞 DNA。科学上把这种破坏称为氧化应激。

友军：抗氧化物质

　　感谢大自然把人类创造得那么奇妙而不可思议，大自然并没有任由自由基肆意攻击我们。我们实际上拥有抗氧化武器，能中和自由基而使它变得无害。抗氧化物质就像火炉前的篱笆或编织得非常紧密的栅栏。火星儿（自由基）仍然会蹦出，但地毯（身体）却受到了保护。

抗氧化物质指的是任何能够为自由基释放出一个电子，使其电子能够配对从而实现中和作用的物质。我们自身能产生抗氧化物质。主要为三种抗氧化防御系统：超氧化物歧化酶、过氧化氢酶和谷胱甘肽过氧化酶。能否记住这些名字并不重要，重要的是要知道我们的确有一套天然的抗氧化防御系统。

但我们的机体并不能生成足够的抗氧化物质。抗氧化物质必须通过食物和营养补充来获得。只要有足够数量的抗氧化物质来对付产生的自由基，我们的身体就不会被破坏。但是如果产生的自由基数量超过了抗氧化物质的数量，氧化应激就会出现。如果这种情况长时间持续，我们就可能罹患慢性退行性疾病，并开始输掉这场体内的战争。

平衡是打赢这场永不停息的战争的关键。我们必须使攻守双方旗鼓相当。要取得胜利，我们的身体必须随时准备好比自由基数量更多的抗氧化物质。

我们获得的大多数抗氧化物质来源于蔬菜和水果。最常见的抗氧化物质有维生素 C、维生素 E、维生素 A 和 β–胡萝卜素。此外，从食物中可获得的其他的抗氧化物质包括辅酶 Q10、硫辛酸和各种生物类黄酮。

这些抗氧化物质能够协同作战，在身体的各个部位剿灭自由基。就像军事防线上的不同阵地一样，它们也各自担任着不同的角色。有的甚至可重新生成其他抗氧化物质以中和更多的自由基。

例如，维生素 C 是水溶性的，因此最适合中和血液和血浆中的自由基。维生素 E 是脂溶性的，因此最适用于中和细胞壁内的自由基。谷胱甘肽最适合对付细胞内部的自由基。硫辛酸既可以消灭细胞壁内的自由基，也可以对付血浆中的自由基。维生素 C 和硫辛酸还能够使维生素 E 和谷胱甘肽再生以便其重新使用。

抗氧化物质越多越好！我们的目标是拥有足够的抗氧化物质来中和体内形成的自由基。为此，我们必须随时准备一个完善而均衡的抗氧化剂大军。

后防支援

每一条战线后面都必须有一套后勤保障系统——这一点对战争结果至

关重要。仅用足够数量的抗氧化物质（就像士兵）来对付我们制造的自由基并不是一个完整的解决方案。为了保持最佳状态，士兵们需要补给——弹药、食物、水和衣物。抗氧化物质也需要一定量的其他营养来完成在前线抵御自由基的职责。他们需要充足的抗氧化矿物质，例如铜、锌、锰和硒等，来协助进行化学反应。如果没有足够的矿物质，氧化应激仍会发生。

此外，还需要一些辅助因子来与酶结合产生化学反应。他们像机械工、军需官、油料箱和子弹制造者一样属于军事后勤系统。主要是指 B 族辅助因子（叶酸、维生素 B_1、维生素 B_2、维生素 B_6 和维生素 B_{12}）。

这个战场实际上很复杂。体内制造的自由基的数量是不均衡的，随着每天的新陈代谢和耗氧量而变化着，防御系统无法预知它在某个时间内要对付多少敌人。还有许多因素能增加自由基的形成数量。

是什么导致过量的自由基产生呢？我花了大量的时间研究这个问题以及自由基的不同来源。让我们来讨论一下这些罪魁祸首吧。

自由基产生的原因

过量运动

在《抗氧化的革命》一书中，肯尼斯·库珀医生强调，过量的运动会明显增加机体产生自由基的数量。在看过几名勤奋的运动员过早地死于心脏病、中风和癌症之后，他非常关注这一问题。这些人一生中可能跑了三四十个马拉松，同时每天还要坚持大量的体育锻炼。

在研究抗氧化的过程中，库珀医生意识到过量运动可能带来伤害。当我们中等或适度运动的时候，我们产生的自由基数量只会略微增加。但是，过量运动时，自由基产生的数量就会急剧上升。

《抗氧化的革命》一书忠告读者，过量运动实际上是有害健康的，尤其是多年持续过量运动。库珀医生建议每个人都应适量运动，他还建议我们在进行营养补充时都应服用抗氧化剂。只有真正的运动员才应该进行艰苦的训练，而且他们也应该补充大量的抗氧化剂来抵消这种侵害。

过度压力

与体育运动一样，轻度到中度的精神压力只能轻微增加自由基的数量，重度的精神压力却可以导致自由基数量明显上升，形成氧化应激。你是否注意到当你压力过大时经常容易得病？有多少次你发现长期承受过度压力的好友或家人最终得了癌症或者心脏病发作？

多数患者一生都没有跑过马拉松，但是成千上万个患者长期承受着精神压力。经济方面、工作方面和个人方面的压力交织在我们的生活中，精神压力成为我从医经历中碰到的对健康影响最大的因素。一旦你明白氧化应激的危害，就应该重视长期精神压力对健康的威胁，并且开始减轻这种压力。

空气污染

环境对我们体内形成的自由基的数量影响巨大。空气污染是导致我们肺部和体内氧化应激的主要原因之一。

现在当你开车进入任何一个大城市时，不仅能够看到空气中厚重的烟雾，甚至能够用舌头尝出味道来。

空气污染对健康的影响已经引起了极大的关注。空气污染包括臭氧、二氧化氮、二氧化硫和多种碳氢化合物，这些物质都能显著增加自由基的数量。日复一日地暴露在这些有毒物质中，我们的健康会受到严重威胁。空气污染已被认为是哮喘、慢性支气管炎、心脏病，甚至是癌症的致病原因之一。

理解了氧化应激是这些疾病的根源以后，我们可以制定出一套保护自己免受空气污染危害的方案。

此外，某些职业需要暴露在诸如石棉这样的矿尘中。石棉的副产物含铁纤维能够产生更多的自由基。研究证实长期暴露在这些物质中能导致肺癌和间质性纤维化。还有许多其他危险性的职业：暴露在畜棚和草木灰中的农夫，以及暴露在各种化学物质和矿尘中的工人。

毋庸置疑，我们呼吸的空气质量对身体健康影响巨大。

吸烟

众所周知，日常的烟雾或化学物质对我们是最大的威胁。但是你是否相信对我们身体危害最大的氧化应激实际上是香烟的烟雾呢？千真万确。吸烟与日益增多的哮喘、肺气肿、慢性支气管炎、肺癌和心血管疾病紧密相连。我们都知道吸烟危害健康，其根本原因在于烟雾对我们身体造成的氧化应激。

香烟烟雾中的多种毒素共同作用使肺部和体内自由基数量增加。吸烟是危害健康的最大的嗜好。尼古丁最容易令人上瘾。美国卫生部部长艾佛瑞·库普把吸烟称为一种毒瘾而并非嗜好，他通过告知公众尼古丁的成瘾性，改变了我们对吸烟的看法，而这一点烟草公司可能早在半个世纪之前就已经知道了。事实表明，人们只需两到三周就能对尼古丁成瘾，却很难戒烟，这是否令人惊讶呢？我发现让患者戒烟比让他们戒酒更难。然而，我确信香烟对健康的危害远远超出了我们的想象。

那么二手烟又如何呢？医学研究证明，暴露在高浓度的二手烟中的人患哮喘、肺气肿、心脏病，甚至肺癌的可能性显著增加。因此人们通过了那么多条法规限制在公众场合吸烟。

上个月我开车送女儿回学校。路上停在一个小镇上加油。当我走进加油站缴汽油费时，有6个当地居民围坐在小桌子旁，边吸烟边喝咖啡。我忍不住咳嗽起来，我感到很不舒服。对于那些不习惯香烟烟雾的人来说，其影响是显而易见的。我相信你也碰到过类似情况。不难想象，每天暴露在二手烟中会对健康产生多大的影响。

食物和水源污染

1998年美国卫生部警示，美国85%的饮用水都已受到污染。然而，过去的10年内这一情况没有任何改善。水源现在受到了超过5万种化学物质的污染。令人震惊的是：水加工厂平均只能检测出其中30~40种化学物质。另外还有重金属，例如铅、镉、铝等，也在污染水源。在美国，5.5万多种受限制的化学废料和大约2万种不受限制的化学废料正在渗入全国各地的地下水层。当我们饮用了这些受污染的水后，自由基的数量就会明显增加。

为此，现在的美国人不得不饮用大量的瓶装水、过滤水和蒸馏水。但是除了蒸馏水以外，你无法判断买回来的水的质量究竟如何。

从第二次世界大战至今，已有 6 万多种新出现的化学品进入我们的环境。现在每年仍有 1000 多种新发明的化学品进入我们的环境。多数食物的生产流程中添加除草剂、除虫剂和抗真菌药。医学研究显示所有这些化学物质在人体吸收后都能增加氧化应激。其中有的比较危险，有的相对安全，但是它们都会威胁我们的健康。这些化学物质帮助我们的食品工业前所未有地提高了产量，但是我们为此付出了怎样的健康代价呢？

紫外线辐射

人们在 20 岁之前会接触到一生中大约 2/3 的日光照射。这就是说，当你阅读本书的时候，你的皮肤已经受到紫外线破坏了。

研究表明，紫外线能增加皮肤中的自由基。而它们是破坏皮肤细胞DNA，导致皮肤癌的罪魁祸首。由此证明氧化应激能导致癌症。

虽然太阳光线中的 UVA 和 UVB 射线都能增加皮肤中的自由基，形成氧化应激，但是其中 UVB 射线的杀伤力最大。但是只要涂抹 SPF30 以上的防晒霜，就能基本上抵御 UVB 射线的损伤。但防晒霜并不能很好地阻隔UVA 射线，这种射线可以导致皮肤更深层的自由基增多。这也许可以从一个方面解释为什么过去 20 多年来皮肤癌的发病率已经增加了 4 倍。

我们要在市场上挑选既能阻隔 UVA 射线又能阻隔 UVB 射线的防晒霜。显然，这才是能保护你和孩子不受灼伤又预防皮肤癌的产品。你应该密切关注自己皮肤上新增的不同寻常的色素斑块儿。

药物与氧化应激

我开出的每一种药物都能增加体内的氧化应激。化疗和放疗的基本原理就是对癌症细胞产生氧化应激以杀死癌细胞。这也是患者很难耐受这些治疗的主要原因之一。氧化应激增加也会破坏正常细胞。

所有药物对身体而言都是外来物质，身体必须努力地把它消灭掉。这就要求使肝脏和整个身体的代谢反应增加。从而可能产生更多的自由基，增加氧化应激。

21世纪的工业化国家过分依赖药物。美国和整个世界的药物消耗量已经达到前所未有的高度。虽然每种药物都已经通过相关测试，但每种药物都有其与生俱来的危害。在美国，药物副作用已成为第四大死亡原因，每年10万多人死于处方药物。药物的危害在很大程度上都是由于它们可能导致的氧化应激。

70多种慢性退行性疾病都是氧气毒副作用的直接原因。换句话说，导致这些疾病的根本原因就是氧化应激。医学研究显示，这些我们担心的老年时会患上的疾病的潜在原因毫无疑问就是氧气的负面效应。

你也许会惊讶灰尘的巨大破坏力，它能侵蚀地球上最坚硬的物质之一——金属。就像空地上弃置的汽车。如果不加以保护，我们的身体也会慢慢地生锈，慢慢地被侵蚀。身体的哪一部分先受到破坏，我们就可能会得对应的慢性疾病。

幸好，机体不仅有一套强大的抗氧化系统，还有一套出色的修复系统。下一章我会解释这个修复系统是如何修复细胞的。

第二部分

战胜疾病

第 四 章

体内的修复系统

战争会带来伤亡，发生在我们体内的这场"战争"也一样。虽然我们拥有强大的抗氧化防御系统，"敌人"还是可以破坏我们的脂质（脂肪）、蛋白质、细胞壁、血管壁，甚至DNA。

研究证明，我们体内存在创伤清除和修复系统，它能清除和修复这些被氧化（也就是被自由基破坏）的蛋白质、细胞壁、脂质和DNA。简单地说，我们的身体拥有一套完善而发达的MASH野战医疗部队。

看过电影《陆军野战部队》吧，所有受伤士兵都被带上直升机。你知道吗，同样的情景也发生在我们体内。我们体内有一个完善的由分诊护士、麻醉专家和外科专家组成的队伍，它们能修复由自由基所造成的损伤。

我们身体里有一套直接修复系统和一套间接修复系统。虽然我们对前者了解不多，但的确可以证明它的存在。我们的认识多数集中在后者上。

在医院，分诊护士负责观察患者的状况以判断是否最危重。我们体内的这些"分诊护士"可以识别已经损毁的细胞并去修复它们。机体不是单纯的把它们扔掉，而是循环利用。损毁的蛋白质氨基酸可用来构造全新的蛋白质。同样，机体还能将受损的脂肪和DNA重新修复。机体拥有惊人的自我治疗能力。

在研究免疫系统和抗氧化防御系统时，我也有同样的感觉。抵御慢性退行性疾病最好的武器在我们体内，而不是我开出来的药方。

生物化学研究者们现在已经能够研究我们身体中每个细胞内部的结构和功能。正如许多早期进化论学者所相信的，细胞并不仅仅是一个包裹着相同的胶质的小盒子。它其实充满了通过精细的生物化学反应来支持生命的复杂的结构、基因代码和传输系统。

战争的破坏性

虽然身体里有与生俱来的强大的防御和修复系统，但破坏仍然可能发生。氧化应激有可能突破防御系统，导致慢性退行性疾病。当自由基明显增多时，防御和修复系统不足以修复所有被破坏的蛋白质、脂肪、细胞壁和 DNA 结构。

要是没有被正确地修复，损伤的蛋白质就会对细胞功能产生更大的影响。比如损伤的脂肪可以导致细胞膜脆化；氧化的胆固醇往往导致动脉硬化。未被修复的 DNA 链可以导致细胞突变，从而诱发癌症和老化。

当我们使自身的抗氧化系统处于超负荷运转时，机体就会受到显著的伤害，最终可能诱发一种或多种慢性退行性疾病。多年前，生物化学研究者们在测定已被氧化应激破坏的细胞后发现，若只有抗氧化的辅酶和化合物，我们就会很快死于重要细胞的破坏。这就是我们要优化所有天然的防御系统的原因。

最佳防御系统

如今我们的食物和环境都已完全改变。我们的身体实际上是在不断地遭受攻击。空气和水源污染、吸烟的多种危害和快节奏高压力的生活习惯同时对我们的机体施加压力。我们进入一个快餐的时代。1970 年，美国人的快餐消费额是 60 亿美元，2000 年，消费额已经突破了 1100 亿美元。现在美国人在快餐食品上的消费已经超过了教育、个人电脑、电脑软件和汽车；也远远超过电影、书籍、杂志、报纸、光盘和音乐消费的总和。

这意味着自由基已经比以往更加活跃更具有破坏性。吃营养药物，在食谱中添加重要的抗氧化剂和矿物质，是增加机体天然的防御和免疫系统的唯一手段。营养补充能加强天然的防御系统，从而保护我们的健康。

一旦你理解了氧化应激的概念和它对身体的毒害，就会希望知道如何去战胜它。你想知道如何获得足够的抗氧化物质和辅助营养来处理身体产生的自由基。虽然听起来那么简单，但是这对我们的健康来说，的确是一个革命性的概念。只要我们能够尽可能长久地预防或延缓这些慢性退行性疾病，我们就能够尽可能长久地享受健康，活到老。

我们的目标是平衡

对氧化应激而言，平衡就是关键。机体一直试图在一边秤盘中放进砝码（抗氧化物质）来抵消另一边自由基的重量。我们的身体能够产生一些抗氧化物质，但是还远远不够。食物，特别是水果和蔬菜，曾经能够为我们提供所需的全部的抗氧化物质。大概一两代之前，人们的食谱比现在全面而新鲜，含有更多的抗氧化物质。但是随着环境污染的急剧加重，以及因快速处理而导致的食物营养缺乏，我们的天平已经失去平衡——向自由基一边倾斜。

要提供身体所需要的抗氧化物质，我们要增加一些营养补充来达到平衡。实际上我希望天平能倾向砝码一边，这样我们就没有氧化应激了。

如同每个硬币都有两个面：我们身体必须处理的自由基的数量和一个最优化的抗氧化修复系统。在下一章里，我举例证明，你如何才能通过健康饮食、合理锻炼和服用高质量的营养补充剂来改善抗氧化防御系统。我会告诉你我的"优化配方"（特别有效的抗氧化剂），使你重拾失去的健康。

至此，你已经了解了氧化应激的基本概念。所以现在你会想进一步了解那些慢性退行性疾病，以及如何去预防它们。下一章你会发现一种全新的预防性的医学方法——细胞营养，以及它的惊人效果。

第 五 章

心脏病

<big>我</big>们总是关注着美国人的胆固醇问题，心脏病是美国人的头号死因。我们原来都相信统计数据和媒体的看法：胆固醇是心脏病的病因。

那么当你知道血管炎症其实才是心脏病的罪魁祸首而不是胆固醇时，你一定也和我一样吃惊。我的研究表明，美国有一半以上的心脏病患者的胆固醇水平是正常的！你能猜到我发现的能够最明显地减轻或者甚至完全消灭血管炎症的方法吗？那就是营养补充。

这个发现对心脏病治疗和预防有着革命性的意义。你必须知道减少血管炎症的必要步骤，而不是把注意力放在降低胆固醇水平上。

胆固醇的威胁

血液中胆固醇水平升高并不一定是心血管疾病和中风的危险因素。我1972 年从医时，我们认为胆固醇水平低于 320 是正常的。因此我告诉患者当胆固醇处在 280～310 之间时不必太过担心，因为这是正常水平。

直到 20 世纪 70 年代末，我们才开始认为胆固醇水平越高，出现心脏病发作或中风的可能性也越高。这一结论主要是基于对马萨诸塞州弗雷明汉市居住的大多数人口进行的调查。科学家发现，随着胆固醇水平的增高，心脏病发作的频率也会增加。研究结果还表明胆固醇水平超过200即被视为不正常，超过240即可能出现心脏病发作。

20世纪80年代初，医生们发现并非所有的胆固醇都是坏的。HDL（高密度脂蛋白）实际上是好的，而且越高越好。只有LDL（低密度脂蛋白）才是坏的，它沉积在动脉血管壁上，造成动脉狭窄。而HDL则可以清理和疏通动脉。

此后，我们开始不仅检查胆固醇总量，而且判断其中好的和不好的胆固醇数量。我们用胆固醇总量除以HDL量得出一个比率。比率越低，患者出现心脏病的可能性就越低。现在同时对HDL和LDL水平进行常规检查的做法已经很普遍了。不用说，我们已经意识到HDL的重要性和LDL的危害。

迄今为止，我所讲述的还只是一些常用的知识。你准备好了解一些不寻常的知识了吗？

LDL其实并不"坏"。大自然创造它并不是一个错误。我们自身产生的LDL从本质上来说是好的。事实上，它是构造细胞膜和其他细胞部分，以及身体所需多种荷尔蒙的重要元素。没有它我们就不能生存，而且即使不能从食物中获得足够的LDL，机体实际上也可以生成这种胆固醇。

问题是在自由基氧化了天然的LDL后出现的这种变性的LDL才是"坏"的。丹尼尔·斯汀博格医生在1989年出版的一期《新英格兰医学杂志》中指出，如果患者正确地服用抗氧化剂来防止氧化，LDL就不会变坏。

在斯汀博格医生的理论发布后多年，人们进行了上万次实验试图来证实或推翻他的理论。为什么科学家和研究者们都这么热衷于研究斯汀博格医生的理论呢？因为，美国人仅一年就已发生了接近150万人次心脏病发作，其中几乎半数年龄都低于64岁，有人曾经看上去非常健康而突然死于心脏病发作。如果该理论是对的，那么它将为新的预防和治疗方案敞开一扇大门。

1997年，马可·戴尔兹医生对斯汀博格医生发布其理论后所有主流医学杂志记载的研究结果进行了调查并得出一个结论，体内抗氧化物越高的患者罹患冠心病的概率越小。

动物实验也支持斯汀博格医生的理论。抗氧化物和它们的辅助营养成分已经成为战胜人类的头号杀手——心脏病的新希望。

营养补充是真正的防御

研究人员往往像检测药物一样来检测营养剂，即把这些营养物质分开，每次只判断一种营养素对机体的疗效。

例如，他们这次进行一项维生素 E 的研究，然后下次再研究维生素 C，最后再单独检测一下 β-胡萝卜素。有时一项临床实验未明显改善健康，医生和研究者们在推荐这种营养物质时就会犹豫。这就是为什么媒体和医疗界在这方面有分歧。医生们在推荐任何营养补充剂之前总想把这种营养物质了解得非常透彻。但是他们忘记了营养药物最重要的一点：协同作用。

协同作用正是抗氧化物质产生效用的方式。要中断氧化应激，机体必须拥有足够的抗氧化物质来应付自由基，而这些抗氧化物质需要所有这些辅助营养才能很好地工作。这些成分在完成打败氧化应激这一最终目标时必须协同工作。

我建议患者们为细胞和组织提供最佳水平的各种类型的营养，将炎症过程扼杀在萌芽阶段。因此，建议维持最高剂量的维生素 E 防止 LDL 被氧化。

患者们应维持最佳水平的维生素 C，以保护内皮细胞层的完整性，减少 LDL 的氧化，并且重新生成维生素 E 和谷胱甘肽。我们也需要 β-胡萝卜素和其他所有各种形式的胡萝卜素来防止或减缓这一过程。

为身体提供必需的硒、维生素 B_2、N-乙酰-L-半胱氨酸和烟酸可提高细胞内谷胱甘肽的水平。再次强调，所有营养物质联合起来才能减少或消除血管的炎症反应，它们的协同作用是关键。因此，细胞营养对我们的健康非常重要。

抗氧化物质及其辅助营养可以消除或者至少能够明显减少所有导致动脉炎症的因素。上千例心脏病临床研究显示，服用营养补充剂可以显著改善健康状况。

让我们看一下每种营养素以及它对减缓甚至预防炎症反应有什么帮助吧。

维生素 E

维生素 E 是阻断动脉硬化过程中最重要且最有效的抗氧化物质。因为它是脂溶性的，可以与 LDL 相结合。细胞膜内的天然 LDL 中的维生素 E 水平越高，LDL 的抗氧化能力越强。不论天然的 LDL 走到哪里，维生素 E 都能伴随左右。

动脉血管内的 LDL 自身不会被氧化，只有在它进入内皮下间隙后才会被氧化。目前，研究者认为正是由于血浆或血液中的抗氧化物质含量较高而使得胆固醇氧化不会发生在动脉中。内皮下间隙内提供的抗氧化保护较弱。但如果天然 LDL 的维生素 E 含量足够高，那么即使它进入内皮下间隙也不会被氧化。因此，单核细胞吞噬 LDL 的过程也就不会发生。

只要能够防止天然的 LDL 被氧化，整个炎症过程从一开始就可以完全避免。

维生素 C

最新的研究表明维生素 C 是血浆或血流中最好的抗氧化物质，这主要是因为维生素 C 是水溶性的。据证实，补充维生素 C 能够维持和保护内皮细胞功能。而内皮细胞失去功能是炎症反应过程的关键。由于维持动脉内膜的完整性至关重要，已有无数专项研究来确定补充维生素 C 能否预防或减少心血管疾病。

维生素 C 还能防止血浆及内皮下间隙内的 LDL 被氧化。维生素 C 还有另一个好处，它能重新生成维生素 E 和细胞内的谷胱甘肽，以便它们重复利用。

谷胱甘肽

谷胱甘肽是细胞内最有效的抗氧化物质，它存在于每个细胞内。患有冠心病的患者细胞中的谷胱甘肽含量低于血管健康的人。谷胱甘肽之所以是一种关键的抗氧化物质是由于分布在内皮下间隙的细胞内都含有这种物质。若服用那些细胞制造谷胱甘肽所需的营养物质（硒、维生素 B_2、烟酸和 N－乙酰－L－半胱氨酸等），你就能改善身体的整体抗氧化防御系统。

生物类黄酮（维生素 P）

水果和蔬菜中含有上万种生物类黄酮。健康的饮食规律是食用的水果和蔬菜的颜色差异越大，摄取的生物类黄酮种类越多。这种特效的抗氧化物质同时也有抗过敏和抗炎症的作用。例如，红酒和葡萄汁中含有一种名为多酚的物质，经证明，它能减少 LDL 被氧化的可能性。葡萄籽精华素也是最佳的能够帮助预防慢性炎症性疾病的生物类黄酮抗氧化剂。

认识高半胱氨酸

让我们来认识一下一种新的致病因素——高半胱氨酸。你听说过高半胱氨酸吗？你的医生是否建议过你检查高半胱氨酸呢？可能没有。没多少人知道它对心血管疾病的威胁与胆固醇同样严重。

据估计，当今全世界大约 15% 的各种心脏病发作和中风都是由于血液中高半胱氨酸水平过高引起——这意味着它引起了美国每年 22.5 万次心脏病发作和 2.4 万次中风。除此以外还有 900 万例心血管疾病是由高半胱氨酸水平过高直接导致的。毋庸置疑，我们需要对这一主要杀手多做了解，特别是当你发现要降低高半胱氨酸的水平只需要补充 B 族维生素。

什么是高半胱氨酸

高半胱氨酸是被凯尔默·迈考利医生发现的。迈考利医生从业初期，他对一种名为高胱氨酸尿的疾病发生了兴趣。这种疾病发生在基因有缺陷的儿童身上，使他们无法分解蛋氨酸，故体内含有大量高半胱氨酸。迈考利医生检查了两名有此缺陷而导致心脏病发作死亡的男孩。令人惊奇的是，这两个男孩还不满 8 岁，在检查他们的病理切片时，发现动脉受到的破坏与动脉硬化的老年人惊人的相似。这让迈考利医生开始怀疑高半胱氨酸的水平过高是否会导致普通患者心脏病发作和中风。

　　高半胱氨酸实际上是身体在代谢（分解）蛋氨酸（一种基本氨基酸）的过程中产生的副产品。蛋氨酸在我们的肉类、蛋类、牛奶、乳酪、面粉、罐装食品和快餐中大量存在。我们需要蛋氨酸，在正常情况下，机体可以把高半胱氨酸转换为半胱氨酸或重新变为蛋氨酸。半胱氨酸和蛋氨酸是良性产品，没有任何副作用。但是问题出在这里：把高半胱氨酸分解为半胱氨酸和重新变为蛋氨酸需要叶酸、维生素 B_{12} 和维生素 B_6。如果我们缺乏这些营养，血液中的高半胱氨酸水平就会提高。

高半胱氨酸的正常水平

　　恰恰与身体必需的构成细胞的胆固醇不同，高半胱氨酸对健康完全没有好处。高半胱氨酸水平越高，罹患心血管疾病的可能性越高。相反，高半胱氨酸水平越低越好。高半胱氨酸没有所谓健康值区间，应该是尽可能的低才好。

　　大多数实验室会报称 5～15 毫摩尔/升的高半胱氨酸水平属于正常范围。但是医学界发现当这一水平升高到 7 毫摩尔/升时，心血管疾病发病率就会明显提高。多数患者都希望高半胱氨酸水平低于 7 毫摩尔/升。如果你的高半胱氨酸水平超过了 12 毫摩尔/升，那么你的麻烦就大了。

　　每当医学界发现一种新致病因素时，测试标准总是会远远滞后。胆固醇测试中如此，高半胱氨酸测试中也是如此。因此，不要依赖医学界公认的正常值。如果没有明显的心血管疾病迹象时，你应该使高半胱氨酸水平至少保持在 9 毫摩尔/升以下；如果你已经有心血管疾病症状或者别的导致心脏疾病的危险因素时，至少要降到 7 毫摩尔/升以下。

怎样降低高半胱氨酸

　　高半胱氨酸水平实际上包含两个方面：一方面是食谱中含有的蛋氨酸数量，身体必须代谢和分解它。要注意控制肉类和蛋奶制品的摄取量。有趣的是这些物质中的饱和脂肪和胆固醇都非常高。当然，我们需要用更多的水果和蔬菜以及植物蛋白来取代肉蛋奶食品。

　　另一方面就是补充足够的叶酸、维生素 B_6 和维生素 B_{12}，使分解高半胱氨酸的辅酶系统有效工作。所有证明高半胱氨酸有害的研究结果都显示患者体内 B 族维生素的水平过低。

我建议所有的患者都摄取 1000 微克叶酸，50～150 微克维生素 B_{12} 和 25～50 毫克维生素 B_6。

记住，高半胱氨酸的水平越低越好。一旦患者的高半胱氨酸水平高于 9 毫摩尔/升时，我就让他们补充 B 族维生素并且在 6～8 周之后复查他们的血液水平。

通过采用这种 B 族维生素治疗方案，高半胱氨酸水平一般都会降低大概 15～75 个百分点。但是仅用 B 族维生素时，并非每个患者的反应都会那么明显。那就意味着患者的整个甲基化反应可能有问题。

治愈心肌病的新希望

心脏并不复杂。它基本上是肌肉组织，主要的功能就是把血液泵到身体的各个部位。充血性心力衰竭和心肌病都是心脏肌肉的疾病。

心肌通过一套电信号系统的刺激来律动。心脏瓣膜随之开启和闭合，使血液能够有效地通过心脏的四个腔。这些肌肉承担着向各个器官供应生存所必需的血液的职责，所以心脏必须永不停歇地跳动，因此需要很高的能量。

充血性心力衰竭和心肌病的发生包括许多原因：如高血压、反复或严重的心脏病发作、病毒感染和狼疮或硬皮病等渗透性心脏疾病。这些情况都能削弱心肌的力量，使它不能处理来自身体各部位的血液。心脏试图通过增大体积和跳动更快来弥补它的不足。但是血液最终还是被阻滞在各个器官里，使它们充血。这就叫做充血性心力衰竭。

当患者的心脏开始严重衰弱而且扩张的时候，医生们把它称为心肌病。它是导致充血性心力衰竭的一种重要原因。它的特点是心脏异乎寻常地增大和扩张。

什么是辅酶 Q10

辅酶 Q10（CoQ10）又名泛醌，是一种脂溶性的维生素或维生素类物质，也是一种有效的抗氧化剂。各种食物，例如动物器官、牛肉、豆油、沙丁鱼、鲭鱼和花生中都含有微量的辅酶 Q10。我们的身体也能够用酪胺酸合成辅酶 Q10，但是这个过程非常复杂，需要至少 8 种维生素和一些微量矿物质才能完成，缺一不可。

辅酶是一些体内大量酶催化反应所需的关键因子。细胞线粒体所需要的 3 种以上的酶都需要辅酶 Q10。而细胞的能量（如高能量的磷酸盐、腺苷和三磷酸盐）正是在线粒体内生成的。

线粒体也是氧化应激形成的地方。不仅能量来源于此，自由基也来源于此。而辅酶 Q10 不但能中和自由基，还能帮助产生能量。我们已经能够大量生产纯净的辅酶 Q10。

辅酶 Q10 不足与心力衰竭

研究证明心力衰竭的程度与辅酶 Q10 的缺乏程度直接相关。包括牙龈疾病、癌症、心脏疾病和糖尿病患者的辅酶 Q10 数量都明显缺乏。但只有充血性心力衰竭和心肌病患者的缺乏程度能被明确地界定出来。

导致辅酶 Q10 不足的原因有如下几点：饮食失衡，身体合成辅酶 Q10 的功能受损和身体过度消耗辅酶 Q10。

研究者们从 20 世纪 80 年代初开始对辅酶 Q10 进行临床试验。在过去的 20 年里，人们监测了辅酶 Q10 对心肌病和充血性心力衰竭患者的疗效。到目前为止开展至少 9 次世界范围的随机对照试验，8 次国际性研讨会，来自 18 个不同国家的医生和科学家提交了 300 多页的报告。

最大型的一次是由巴乔股份有限公司进行的意大利多中心试验，调查对象包括 2664 名心力衰竭患者。在这些患者中，将近 80% 的人服用辅酶 Q10 后健康得到改善，其中 54% 三大心力衰竭症状都显著减轻。补充辅酶 Q10 对治疗这些生命受到威胁的心脏病患者有很大的帮助。虽然不能根治这些疾病，但肯定可以减缓病情。

心肌病患者的新疗法

每年有两万多名年龄不到 65 岁的患者正在等待心脏移植，另外上万名超过了 65 岁的患者也患有心肌病，不能接受心脏移植。虽然他们正尽可能地接受着医疗，却仍然属于完全残疾。而实际上有资格申请心脏移植的患者只有1/10能接受移植；其他9/10通常很快就死于这种疾病。

1992年，弗克斯和兰斯乔恩医生在医学杂志上刊登了一篇研究报告，我相信它能解决这种困境。他们选择了11位需要心脏移植的患者服用辅酶Q10。根据纽约心脏病协会评估标准（见下表），其中3名患者的病情从最严重的4级减轻变为1级。4名患者从3级或4级减轻到2级，另外2名从3级减轻到1级。

纽约心脏病协会对心脏功能的分级

1级：体力活动无限制；正常的体力活动不会导致疲乏、呼吸急促或心悸。

2级：体力活动稍受限制；休息时感觉良好。正常的体力活动会导致疲乏、心悸、呼吸急促或心绞痛。

3级：体力活动明显受限制；休息时感觉良好，但未达到正常水平的体力活动就会导致上述症状。

4级：完全无法进行任何体力活动；充血性心力衰竭的症状在休息时也会出现。任何的体力活动都会加剧不适和病症。

根据试验结果，弗克斯和兰斯乔恩提出了在晚期心力衰竭而等待心脏移植的患者身上使用辅酶Q10不仅安全而且有效。

多个试验证实，辅酶Q10是一种安全有效的天然维生素和抗氧化剂。它的本质是营养剂。当心肌变虚弱时，我们必须增加其所需的营养来补充能量。而辅酶Q10是产生能量所需要的最重要的营养剂。补充这种营养就能改善心悸的虚弱状态。

辅酶Q10可作为传统医疗手段的补充，而不能取代医疗手段。虽然研究显示，许多患者的病情都明显地好转，可以停用一些药物，但是他们所患的心脏疾病并没有得到根治。

研究证明这些患者应该长期坚持补充辅酶Q10。当患者停止服用辅酶Q10后，这种必需的能源会重新枯竭，心脏功能会缓慢下滑到原来的衰弱水平。而持续服用辅酶Q10的患者心脏功能一直保持良好。

医生为什么不推荐辅酶 Q10

那么为什么医生们不建议患者先试用辅酶 Q10 呢？服用辅酶 Q10 每天只需约 1 美元。不算能够减少的住院费，它比 2.5 万美元的心脏移植便宜多了！另外，使用辅酶 Q10 还从来没有出现过任何副作用。多数试验显示患者的健康都在 4 个月内得到了明显的好转。

医生们所不知道的事物就可能要了你的命。

我从来没在任何医学会议上听到研究辅酶 Q10 的使用，在美国，只有 1% 的心脏病专家会建议心力衰竭或心肌病患者使用辅酶 Q10。看上去他们根本就没把它当做一个很好的辅助疗法。

大多数美国辅酶 Q10 的研究由国家健康研究所买单。因为辅酶 Q10 是一种天然产品，与人工合成的药物不同，不能在 FDA 申请专利。没有经济利益驱动，制药公司不会为辅酶 Q10 这样的天然产品支付高额研发费。而且，公司向医生们推广使用他们的药物的成本也是非常高昂的。

我来告诉你为什么医生们不推荐使用辅酶 Q10 吧。医生都是以药物为导向的。我们了解药物，但是却不大了解天然产品。虽然不愿承认，但是每天来办公室找我们的药厂的销售代表在很大程度上控制了我们对新疗法的认识程度。我还没有碰到过一个医药销售代表来给我看一个关于辅酶 Q10 和它对心肌病的疗效的研究报告，这样做明显无利可图。

医生必须以患者为动力，学习和理解天然产品对患者的帮助。补充营养物质来调节器官功能应该被称为辅助疗法。心肌病患者应该坚持他们的治疗，但是要添加完善和均衡的抗氧化物剂和矿物质，以及大量的辅酶 Q10（每天 300 ~ 500mg），以便支持虚弱的心脏完成工作，患者的健康状况会明显地改善。

第 六 章

癌症的化学防御

对我来说，最难以启齿的是告诉患者他得了癌症。全国各地的医生们都得像我一样告诉患者这一残酷的事实：美国每年有 130 万以上确诊新病例。

20 年间我们在癌症研究上花费了 250 亿美元，但是癌症死亡人数实际上有增无减。研究者和临床医生都开始关心一个问题——重新评估癌症预防和治疗方法。我们的研究的确已经取得了一些重大成果，我们有了一些进步，但主要集中在如何能够尽早检测出某些癌症，例如用乳房 X 光照片检测乳腺癌和用 PSA 测试检测前列腺癌。

难道我们仅能尽早检测出癌症吗？不。我将阐述如何降低患癌症的可能性。

癌症的病因

你相信我们每天的所作所为，所吃的任何东西都能导致癌症吗？在阳光下过度暴晒会增加皮肤癌的可能性；石棉工人可能患一种不常见的恶性肿瘤间皮瘤；吸烟和二手烟使肺癌跃居癌症死因的首位。辐射、烧烤食物，食谱中脂肪、糖精过多，以及除草剂和杀虫剂中的许多其他化学成分都被医学界称为致癌物质，或者说它们可以增加患癌症的可能性。正如我早前所提到的，我们的身体接触到的化学物质比我们的先辈要多很多。那么所有这些致癌物质的共同点是什么呢？那就是它们都能增加氧化应激。这就是对抗癌症的新策略的关键。

氧化应激是真凶

癌症的根本原因有多种解释。不幸的是，这些理论都不能完全地解释癌症的各个方面及其在体内的发展过程。

为了解答这个医学难题，彼得·柯维世医生 2001 年在《当代化学药物》杂志上刊登了一篇综述文章。他在文章中说到："在众多已被提出的理论中，氧化应激是最综合的，而且它还会一直如此。它能合理解释和把多数与癌症的演化过程有关的方面关联起来。"

医学证据表明自由基过多会聚集在细胞核附近，导致 DNA 损伤。核内 DNA 在细胞分裂，也就是 DNA 解旋并延伸的时候是最脆弱的。研究者已经证实自由基经常破坏的是 DNA 链。

在遇到致癌物质的袭击时，身体的 MASH 部队会忙于修复损伤的 DNA。但是当氧化应激加重时，自由基的破坏会大于修复系统的作用，并能导致 DNA 突变。当这些细胞继续复制时，突变的 DNA 就被带入每个新生成的细胞。而这种突变的 DNA 受到进一步的氧化应激时，就会出现更大的损伤。这种细胞会开始不受控制地生长，并且有了它自己的发展规律。它变得能够从身体的一部分传播到另一部分（转移），这样就形成了真正意义上的癌症。

治疗晚花费高

医生通常在癌症晚期才能对它确诊。不幸的是，当癌症足以引起病症或者能通过 X 光检测出来的时候，它已经发展了十几二十多年了。医生动用外科手术、化学疗法和放射疗法重拳出击，但却往往难以控制病情。

我上次诊断出的一个肺癌患者，肿瘤专家建议他采用化学疗法，并称有 40% 的把握能缓解肺癌。那个患者听到这个数据时还略受鼓舞，直到他问医生所谓的"缓解"是什么意思。肿瘤专家回答到："如果成功，你的生命还能延长大概 3 个月。"这就是多数癌症患者会碰到的典型而悲哀的事情。

我的另一个患者被诊断为晚期脑瘤，放射科专家说这种疗法大概有 1% 的可能性能够延长她的生命。她不顾我的反对接受了这种治疗，并在与癌症以及治疗带给她的虚弱和疾病战斗了 6 个月之后过世了。一种积极治疗方法或许可以使生命延长数月、一年，甚至更长时间，但是患者和他们的爱人为了获得这些许的疗效所必须忍受的痛苦，对这些已经非常脆弱的生命来说，实在是太残酷了。

我们输掉了这场对癌症发起的战争。为了降低死亡数字，我们必须从这种恶性疾病发展的早期阶段着手攻击。我们的确还有希望。理解了氧化应激在癌症发展过程中所起的作用，就能为我们提供许多预防和治疗癌症的新理念。

癌症的化学防御

如前所述，由于癌症是一个历经多年发展时间的多级进程，所以我们有无数的机会干预这一进程。

在癌症的最初阶段，我们可以看到变化基本上仅限于 DNA 本身。自由基攻击所导致的 DNA 突变通过细胞复制传递到随后生成的每个细胞。由于自由基进一步对细胞产生破坏，肿块在局部形成。这是我们临床上能够最早判断出来的阶段。最后一个阶段是完全恶性也就是癌症的形成，它有能力从身体的一个部位转移到另一个部位。

与其他在最后阶段攻击癌症的疗法不同，化学防御侧重在最早期预防癌症的形成。记住，平衡是关键。如果我们拥有足够的抗氧化物质，氧化应激就不会发生，细胞核内的 DNA 就不会受到最初的破坏。回忆一下那个火炉的比喻，如果炉火前面有防护墙的话，火星儿就不会蹦到外面的地毯上。

化学防御还可以用于修复那些已经对细胞造成的破坏。正如你在第四章中所学到的，我们的身体有着惊人的自我修复能力（还记得 MASH 野战医院吗）。我们现在来仔细研究一下化学防御的策略及作用。

化学防御第一步：降低风险

预防癌症的第一要素是尽可能避免暴露在致癌物质中。虽然看上去显而易见，但是说起来容易做起来难。下面是你应该做到的：

> 1. 戒烟！香烟烟雾是最厉害的致癌物质。烟民们体内的自由基数量急剧增多，而且二手烟也是一个非常重要的氧化应激因素。
>
> 2. 减少日晒。众所周知，UVA 和 UVB 射线都是致癌物质。强烈建议人们选用这两种射线都能抵御的防晒用品。这是不可缺少的原则，并且应从娃娃抓起。
>
> 3. 减少食物中所含的脂肪。过量摄取脂肪可以增加氧化应激，特别是在同一顿餐里缺乏相应数量的抗氧化物质时。我们应确保每天食用 7 份水果和蔬菜，以及至少 35 克的纤维素（你一定听说过这些；但是只有不到 9% 的人执行这一建议）。
>
> 4. 当心其他致癌物质。减少暴露在可导致癌症的情况中，例如辐射、杀虫剂、除草剂、石棉、木炭、煤烟等，把它们从你的家庭环境中清除出去。

只要减少暴露在致癌物质中，我们就能减少身体必须对抗的自由基数量。例如，我很难为每天抽两包烟的患者列出包含足够营养补充的健康食谱。因为它的作用不会很大；而且除非他戒烟，否则减少癌症的可能性肯定会受影响。

化学防御第二步：增强抗氧化和免疫功能

我们无法避免接触环境中所有的致癌物质和化学物质。我们需要氧气去生存，同时增加了我们受到氧化应激伤害的可能性。因此，最好的策略不是逃避，而是最大限度地强化我们自身的免疫系统和抗氧化防御机制。这就要从健康饮食开始。

如果说氧化应激就是癌症的根本原因，那么用来中和自由基的抗氧化物质就能降低癌症的可能性，而且已被证明是正确的。癌症研究专家格雷斯·布洛克医生在世界各地进行的 172 项关于饮食和癌症之间关系的流行病研究，支持该结论。

布洛克医生发现了一个规律：那些食用水果和蔬菜（抗氧化物质的主要来源）较多的人们得各种癌症的风险性明显较低。食用水果和蔬菜最多的人比最少的人要低 2 ~ 3 倍。

反之亦然，癌症专家布鲁斯·爱米斯医生在接受《美国医学会杂志》的采访时说道，食用水果和蔬菜较少的人患癌症的几率要比食用较多的人高两倍。

只要每天食用 5 ~ 7 份的水果和蔬菜，就能把患癌症的风险减少一半。

健康的饮食绝对是对你身体最好的保护。任何药物都不能取代你的身体赖以补充能量的饮食。再次强调一个原则，如果你选择补充营养，就必须合理安排膳食。强化免疫系统的第一步就是采用含有大量水果和蔬菜的高纤维低脂肪食谱。

除此之外，医学研究表明在我们的饮食中补充抗氧化物质对化学防御来说是非常重要的。在坚持 20 个星期一直采用富含维生素 C、维生素 E 和 β - 胡萝卜素的健康食谱后，氧化应激对吸烟和不吸烟的人体内的 DNA 的破坏都会明显减少。维生素 E 还能对抗因锻炼而引起的 DNA 破坏。

化学防御第三步：增强身体的修复系统

在第三步里，我们主要集中于研究机体的自我修复系统和一些能帮助细胞修复已形成的明显破坏的营养物质。

癌症前期的病变使我们有了一个观察化学防御中抗氧化物质疗效的机会。在体内跟踪肿瘤是很困难的，于是对体表的肿瘤进行了许多研究。主要针对黏腺白斑病（存在于嚼烟者口腔中的癌症前期病变）和子宫颈非典型性增生（子宫颈表面的癌症前期肿瘤）。

癌症是一个多级的进程，而癌症前期病变已经属于相对后期的阶段。这个多级进程的下一阶段就是癌症的形成。

人们在预防和治疗黏腺白斑病上做了很多努力，研究显示嚼烟叶的人体内的抗氧化物质水平都较低。而那些体内抗氧化物质水平较高的人得黏腺白斑病的可能性较小。

哈林达·盖尔沃医生写了一篇研究文章，指出抗氧化物质不仅能预防口腔癌症，而且可以逆转黏腺白斑病。这篇文章是化学防御第三步的里程碑。他的发现为我们带来了希望，那就是抗氧化物质不仅能够阻止癌症形成的进程，而且可以增强身体的自我修复系统来逆转细胞损害。

我在下面大致列举了一些他所研究过的临床试验。

关于在癌症前期患者中使用营养补充剂的研究

1. 在印度进行的研究证明，使用维生素 A 和 β - 胡萝卜素者较安慰剂组黏腺白斑病完全消失的比例高 10 倍。

2. 仅用 β - 胡萝卜素的试验显示 71% 的黏腺白斑病患者的细胞都恢复了正常。

3. 一项仍在美国进行的研究中，患者同时服用了 β - 胡萝卜素、维生素 C 和维生素 E，研究者们发现有效率为 60%。癌症前期细胞转变回正常细胞。

4. 一项仍在美国进行的研究中，仅服用 β - 胡萝卜素，患者的好转率为 56%。

5. 一项在实验手段诱导的口腔癌症的雄性大鼠身上进行的研究，分别单独和综合使用 β - 胡萝卜素、维生素 E、谷胱甘肽和维生素 C。各组实验结果都有明显好转，但是综合使用组取得的疗效最明显。这不仅是抗氧化物质的叠加效应，而且是它们共同协作产生的协同效应。

子宫颈非典型性增生是另一种体表的癌症前期病变。一些研究显示，体内 β - 胡萝卜素和维生素 C 水平较低的人患子宫颈非典型性增生的可能性明显提高。实际上体内 β - 胡萝卜素水平最低的妇女患此病的可能性要比最高的妇女大 2～3 倍。每天摄取维生素 C 不足 30 毫克的妇女患子宫颈非典型性增生的可能性比摄取大量维生素 C 的妇女高 10 倍。其他一些流行病研究也显示，饮食中缺乏维生素 A、维生素 E、β - 胡萝卜素和维生素 C 可增加患宫颈癌的风险性。

已证实 β - 胡萝卜素能防止子宫颈非典型性增生发展为宫颈癌。另外，结合使用维生素 C 和 β - 胡萝卜素能够逆转子宫颈非典型性增生并降低其发生的风险性。

在研究完我刚刚介绍的这些试验之后，我确信这些抗氧化物质是协同在一起共同产生作用的。正如我在第五章中介绍过的，这意味着我们不仅需要补充各种抗氧化物质，还需要补充矿物质（锰、锌、硒和铜等）和能够支持酶催化功能的 B 族维生素。

大自然给我们身体赋予了不可思议的能力，它既能保护自己不受氧化应激伤害，又能修复遭受破坏的 DNA，我对此深感敬畏。一些正在进行的临床试验会进一步判断抗氧化物质在逆转癌症进程中的作用。而黏腺白斑病和子宫颈非典型性增生都已是癌症多级进程中比较晚的阶段了，但研究结果表明，当我们为身体提供最佳水平的相关抗氧化物质时，我们的身体仍然可以自我修复。

得了癌症怎么办

我们已经明确可以对那些尚未发展到晚期癌症的患者进行化学防御疗法。而且传统疗法对癌症治疗的作用并不是很有保证。它们包括外科手术（在可行的条件下才能进行）、化学疗法和放射疗法。

坏消息不仅如此。虽然证据显示我们对霍奇金淋巴瘤、儿童白血病和睾丸癌等肿瘤的治愈率已经有所提高，但继发肿瘤以及治疗导致的并发症不可忽视。

好消息是医学研究开始支持综合补充抗氧化物质及其辅助营养的主张。该疗法可以增强传统化学和放射疗法的作用，同时保护正常细胞不受不良反应损害。

金伯莉的故事

金伯莉是个漂亮的女学生，她在加利福尼亚州圣芭芭拉市的威士茂学院念四年级，正在攻读交流艺术学士学位。一天她忽然感到腹部不适和膀胱有压迫感，便立即去了医院。医生认为她得了细菌性膀胱炎，并给她进行抗生素治疗。但是金伯莉的病情不断恶化。腹痛加剧，出现了恶心和呕吐的症状。

躺下的时候，她能感觉到下腹部有一块肿物，这使她感到恐惧。医生在对她重新进行体检时，触到了一个如柚子般大小的肿块。并给予 CA125 的血液检查（妇科和肠道癌症的检测指标），结果非常高，医生立即为她安排了外科手术。

年仅 21 岁的金伯莉得了卵巢癌症！这一诊断完全出乎她和她的家人的意料。手术后，医生的看法比较乐观，相信肿瘤已经摘除干净了。不过为了保险起见，肿瘤专家坚持认为她应该继续进行一些大剂量的化疗。

金伯莉来我这里咨询在做这些化疗的时候怎样补充营养。她一边积极地补充营养，一边进行化学治疗。虽然金伯莉的医生强烈建议她休学，但是她并不想这么做。所以她预约在圣芭芭拉进行化学治疗。

她在整个治疗过程中的表现都非常出色，肿瘤专家和外科手术大夫都称赞她不仅看上去气色很好，而且治疗耐受力很高。她的头发脱落了，不过她并没有耽误功课，完成了全部课程。

在进行最后一次治疗时，那位肿瘤专家走到金伯莉的身边，直截了当地问她："你吃了什么？"她不解地问："您这话是什么意思啊？"

他说："你肯定吃了什么，因为其他的患者都在那里呕吐，但是你却坐在这里看《时代》杂志。"

当她告诉肿瘤专家自己一直在服用营养补充剂时，他震惊了。

金伯莉继续过上了快乐的生活。从结束化学治疗到现在已经有 3 年多了。她又长出了美丽的秀发，她的 CA125 血液读数一直保持正常，而她现在每年只需要回去复查两次，并没有复发的迹象。

抗氧化物质为何有效

肿瘤专家和放射科专家都不主张患者在进行传统癌症治疗的同时使用抗氧化物质。为什么？因为他们担心抗氧化物质会为癌细胞建立起抗氧化防御系统而导致治疗无效，因为癌症治疗的原理主要就是通过产生氧化应激来破坏癌细胞。这是一个合理的担心。但是医学杂志并不支持他们的看法。

吉达·普拉塞得医生和阿朗·库默医生以及他们在科罗拉多州立大学

医学院放射系的同事们用 70 多例临床病例打消了这一顾虑。他们的研究报告标题为《高剂量多种类的抗氧化维生素：提高标准癌症治疗疗效的必需成分》，发表在《美国营养学院杂志》上。普拉塞得和库默医生在文中写道，个别分散试验显示在某些化学疗法治疗过程中单纯补充一种营养物质会起到负面作用。但是在同时采用高剂量多种抗氧化物质时，疗效却得到了提高。

抗氧化物质能够帮助消灭癌细胞

临床试验结果显示，癌细胞吸收抗氧化物质的方式与正常细胞不同。健康的细胞只会适量吸收它们所需要的抗氧化物质和辅助营养。这是细胞营养非常重要的客观规律。而癌细胞却会持续不断地吸收抗氧化物质和辅助营养。这种超量吸收抗氧化物质的行为实际上导致癌细胞更容易死亡。抗氧化物质不仅能够帮助消灭癌变细胞，而且可以保护健康细胞少受放射疗法和化学疗法的伤害。

抗氧化物质能够帮助好的细胞

作为常识，我们都知道化学疗法和放射疗法对健康细胞带来的不良反应是由于增加了体内的氧化应激。但是当患者服用大剂量的抗氧化物质时，正常细胞因可以正确地使用抗氧化物质而使防御系统得到改善。这实际上是一个双赢的局面。化学疗法和放射疗法能够最大限度地发挥作用，而同时它们对健康细胞可能造成的不良反应和伤害会明显减少。

维生素 E 可以预防各种化疗药物对肺、肝、肾、心脏和皮肤造成的伤害。辅酶 Q10 能预防阿霉素对心脏造成的长期伤害。β－胡萝卜素和维生素 A 可以减少患者对放射疗法和一些化疗药物产生的不良反应。所有抗氧化物质都能保护正常细胞的 DNA 不受抗癌疗法的破坏。

营养学为我们抗击癌症和退行性疾病带来了巨大的希望。它们不仅能够预防癌症，而且实际上可以增强传统化学疗法和放射疗法的疗效，增强身体天然的防御系统。

我们有理由认为天然的抗氧化物质和它们的辅助营养是最理想的化学预防性药物：

- 可以限制甚至防止自由基对细胞 DNA 造成的破坏。
- 能为身体修复任何已经形成的损伤提供营养。
- 安全而且可以终身服用(药物没有这个优点,例如能减少乳腺癌发病的他莫西芬就被证明有非常严重的副作用)。
- 相对比较便宜(我建议的预防用量的营养补充剂每天只需 1~1.5 美元)。
- 能最好地阻止癌症的进一步恶化。
- 能保护身体不受化学疗法和放射疗法带来的伤害。
- 能增强化学疗法和放射疗法的疗效。
- 可以使肿瘤在一定程度上缩小。

肿瘤专家和放射科专家应鼓励患者服用抗氧化物质。如果研究者们更认真地研究如何以最佳用量综合使用抗氧化物质,那么癌症的预防和治疗就可能会得到革命性的突破。

第 七 章

关心你的眼睛

梅维斯对即将失明深感恐惧。她一直喜欢看着雷电撕裂夜空，她能看出无尽的草原上那些最细微的变化。1983 年，她发现自己的视力出现了问题，于是去看眼科大夫。

她被确诊为视网膜黄斑变性。虽然梅维斯对这种病并不了解，但是她知道自己必须利用好仅存的视力——而时间飞逝。她开始抓紧时间努力地阅读一切关于她这种疾病的资料。但是她并没有读到任何好消息，书本告诉她除了看着她的视力继续恶化以外没有任何可做的事情。

在接下来的 14 年中，梅维斯的视力持续恶化。开始，她不得不放弃夜间驾驶。然后她发现在冬天开车也是不可能的了，因为灰色的天空会与路面混合在一起无法分辨。而南达科他州的冬天是很长的。曾经支持着梅维斯驾车穿越暴风雪的决心同样支持着她去寻找解决的办法。1997 年 4 月的一天，我接到了梅维斯的电话。我建议她补充营养剂。梅维斯开始服用一种有效的抗氧化物质和矿物质，并且大量服用葡萄籽精华素。

几个月后，梅维斯的视力开始有所改善。眼前的物体变得清晰了，甚至她的夜视能力也有所提高。当地的眼科大夫也确认了这个好消息，实际上她那天的视力已经恢复到与 1991 年时相同的水平——那可是 6 年前的事情了！

虽然还不能在冬天和夜间驾驶，但是原来那种担心会失明的恐惧已经不会阻碍梅维斯的生活了。这位懂得生活的坚强不屈的女人又能重新怀着敬畏仰望博大的夜空和无尽的草原，直到 2001 年秋天上帝带她回到了天堂。

眼睛的疾病

氧化应激导致的眼部退行性变化，使我们对使用抗氧化物质和矿物质来预防甚至治疗与老化相关的眼部疾病产生了浓厚的兴趣。

白内障

白内障手术是最常见的 60 岁以上的患者经历的外科手术。它为美国医疗系统带来的经济效益是巨大的。在美国，眼外科每年都要进行 130 万例白内障手术，收费加起来超过 35 亿美元。如果美国人均患白内障的年龄推迟 10 年，那么就会有一半的人不需要做这种手术。

眼睛通过晶状体收集光线并聚集在视网膜上。晶状体要正常工作，就必须保持清晰透明。随着年龄的增长，晶状体的各个组件会受到破坏，并有可能出现不透明的情况，这就导致了老化性的白内障。

医学研究者们相信，如果早期为眼睛提供充足的抗氧化营养成分，就可以维护晶状体的功能，防止白内障形成。而自由基再次成为罪魁祸首，阳光中紫外线照射使其产生，并且因此诱发了白内障。

机体生成的天然的抗氧化物质（谷胱甘肽过氧化酶、过氧化氢酶和超氧化歧化酶）形成了眼部基本的防御系统，但不足以为眼部提供全面的保护。一些临床试验显示，增加饮食中的抗氧化物质和服用营养剂可以保护晶状体不受氧化损伤。

存在于眼球晶状体内的流质中的抗氧化物质对于保护晶状体至关重要。因此，如果晶状体内的流质中的抗氧化物质水平很低，那么白内障发展的速度就会加快。其中最重要的抗氧化物质是维生素 C。维生素 C 是水溶性的，在晶状体的附近聚合浓度很高。流质中还有其他抗氧化物质，如维生素 E、硫辛酸和 β−胡萝卜素。

一些流行病研究已经揭示了维生素 C、维生素 E 和 β−胡萝卜素的水平与患白内障可能性之间的关系。芬兰的一项对照试验显示体内含维生素E 和 β－胡萝卜素水平较低的人需要进行白内障手术的可能性会增加 4～5倍。另一项试验显示补充维生素的人得白内障的可能性会降低 50%。

临床试验表明，年轻人晶状体中的天然抗氧化保护系统会随着年龄的增加而减弱。服用各种抗氧化物质可以保护逐渐老化的眼睛。研究者们发现，眼球中的房水含维生素 C 的水平越高，就越能防止白内障的形成。硫辛酸由于其协同作用，也能帮助所有这些抗氧化物质保护眼睛的晶状体。此外，硫辛酸和维生素 C 均能重新合成细胞内的谷胱甘肽以便重复使用。

我希望所有的医生都能推荐患者服用抗氧化物质预防白内障。随着临床试验研究的深入，我们会更了解该用哪些抗氧化物质，以及该用多大剂量。但是我们现在已经有了充足的证据来证明服用抗氧化物质是一种相对比较便宜的预防白内障形成的手段。

黄斑变性

在美国，老年性视网膜黄斑变性是导致 60 岁以上的老人失明的主要原因。黄斑就是位于视网膜中心的一个关键区域，是感光细胞分布最集中的地方，主要负责中央视力。当这一区域受损时，我们就丧失了最重要的一种视觉能力——中央视力。当视网膜黄斑变性患者正视你的时候，他无法看清你的脸，但是却可以看到你旁边的事物。也就是说他的外周视力是完整的。

黄斑变性有两种情况：湿性的和干性的。90% 以上的病例都属于干性，也就是说中央视力会逐渐降低，目前还没有任何可行的治疗手段，其中大概有 10% 的可能性会转变为湿性病例。

湿性黄斑变性患者的中央视力降低得更快，出现的血管渗出及新生血管增生可以采用激光凝固法治疗。这种治疗手段的目的是减缓新血管的形成，防止因此导致的视网膜水肿、渗出或出血。但是，患者手术后往往会更快失明。

据美国预防失明学会估计，1400 万美国人都患有老年性黄斑变性。比佛·达姆眼科试验指出，在美国 75 岁以上的人口中有 30% 都患有老年性黄斑变性，而其余的人中有 23% 会在 5 年内患上老年性黄斑变性。

视网膜损伤的原理

近年来，一些研究者就老年性黄斑变性的真正原因提出了有趣的设想。这些理论认为正是由于光线进入眼球并被聚焦在视网膜的黄斑上才导致了这些感光细胞周围的自由基数量明显增加。而且，如果没有足够的抗氧化物质来中和这些自由基，感光细胞就会受到破坏。已证明氧化应激能破坏密集于视网膜和感光细胞周围的多不饱和脂肪酸。

与 LDL 胆固醇的氧化破坏原理相似，多不饱和脂肪酸的氧化破坏可导致脂褐质的形成，它是一些由油脂和蛋白质构成的物质，聚集在视网膜色素上皮细胞里。脂褐质会对视网膜造成进一步的破坏，而它实际上就是伤害和破坏感光细胞的根本原因。

脂褐质在色素上皮细胞中沉积并且最后形成玻璃膜小疣，这是视网膜黄斑变性的最初征兆。由于它们堆积在色素上皮细胞和细胞的血液供应之间，切断了营养供应，导致感光细胞无法工作，从而造成局部的失明。

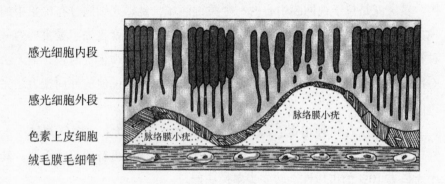

感光细胞受到破坏

视网膜自由基的生成

当视网膜色素细胞和感光细胞吸收光线时，自由基就会在这个过程中产生。高能量的紫外线和可视蓝光特别容易使视网膜内产生自由基。长时间暴露在这种高能量的光线中的患者患视网膜黄斑变性的风险性显著提高。研究结果显示，当我们慢慢变老时，能保护我们不受自由基伤害的抗氧化防御系统会显著弱化。这就打破了抗氧化物质和自由基之间的平衡，加速了自由基对视网膜的破坏。

一些实验结果显示，与视力正常的人相比，黄斑变性的患者体内往往缺少锌、硒、维生素 C、类胡萝卜素和维生素 E。一些临床试验也检查了每种营养物质的疗效以观察它们是否能减轻或减缓它的发展速度。下面是对这些研究结果的一些总结。

类胡萝卜素

医生们相信好视力离不开 β - 胡萝卜素。但是 β - 胡萝卜素只是我们体内数十种重要的类胡萝卜素中的一种。实际上更重要的是多吃谷物、绿叶蔬菜和羽衣甘蓝类的蔬菜，因为它们富含名为叶黄素和玉米黄质的类胡萝卜素。

叶黄素和玉米黄质是黄色的，所以能够有效地吸收破坏晶状体和视网膜的蓝光，因此氧化应激就会被降低。它们实际上就像是眼球内的太阳眼镜，屏蔽掉有害的高能光线，减少感光细胞产生的自由基数量。这些营养成分同时也是非常有效的抗氧化物质，帮助我们中和掉眼球内出现的自由基。

补充叶黄素和玉米黄质的患者不仅血液中这些营养成分的含量提高，而且眼球中的含量也会明显提高。研究显示，能保护视网膜的黄斑色素细胞增加了 20% ~40%，而吸收到黄斑感光细胞和黄斑色素细胞的蓝光也被减少了将近 40%。

1994 年 11 月 9 日，《美国医学会杂志》报道称，在饮食中大量摄取叶黄素和玉米黄质的患者比那些摄取量最低的患者得视网膜黄斑变性的可能性降低了 43%。有趣的是，大量摄取了 β - 胡萝卜素的患者却没有取得同样的疗效。叶黄素和玉米黄质是唯一两种可以被存储在眼球黄斑中的类胡萝卜素。虽然 β - 胡萝卜素有益健康，但它却不能降低视网膜黄斑变性的发病率，所以应该多吃类胡萝卜素。

维生素 C

体内维生素 C 含量较低的人患视网膜黄斑变性的可能性会增高。维生素 C 高度集中在房水中，是重要的抗氧化物质。研究证明补充维生素 C 可减缓视网膜黄斑变性的发展。维生素 C 还能够重新生成维生素 E 和细胞内的抗氧化物质谷胱甘肽。

维生素 E

老年性黄斑变性患者眼球黄斑区域的维生素 E 含量较低，高能光线能在这里产生大量自由基破坏感光细胞。虽然维生素 E 不是眼球中最重要的抗氧化物质，但是它仍然起着重要的作用。补充维生素 E 也可以预防视网膜黄斑变性。

辅酶 Q10

通过第五章中关于心脏疾病的研究，你现在对辅酶 Q10 应该已经很熟悉了。辅酶 Q10 是一种强效的脂溶性抗氧化物质。这种营养物质对身体各部位的脂肪细胞都起到有效的保护。而大部分由脂肪细胞构成的视网膜也不例外。视网膜黄斑变性患者体内都明显缺少辅酶 Q10。体内辅酶 Q10 含量正常的患者抵抗大量自由基造成的氧化应激的能力明显较高。在视网膜黄斑变性治疗中采用辅酶 Q10 还是一种新的尝试，而且人们也很看好它的疗效。

谷胱甘肽

谷胱甘肽是广泛存在于机体各个细胞中的非常有效的抗氧化物质。它在眼球晶状体以及视网膜的色素细胞和感光细胞中尤为重要。临床试验显示，我们体内的谷胱甘肽水平会随着年龄的增长而降低。这就意味着随着年龄的增长，我们患眼病的可能性也会增加。

研究者们都知道，我们身体通过口服吸收谷胱甘肽的能力很弱，所以用这种方式提高细胞内的谷胱甘肽含量几乎是不可能的。增加细胞内谷胱甘肽含量最好的办法是为机体提供制造谷胱甘肽所需要的营养成分——谷胱甘肽超氧化酶，是机体的抗氧化防御系统之一；机体所需的其他原料还包括硒、维生素 B_6、N-乙酰-L-半胱氨酸和烟酸。

当你对细胞营养有了更深的了解之后，就会意识到为细胞提供这些基础营养的重要性了。硫辛酸和维生素 C 也是非常重要的，因为它们都能够重新生成谷胱甘肽。由于提高细胞内的谷胱甘肽的含量很困难，所以我们也应该补充硫辛酸和维生素 C，以便细胞内的谷胱甘肽能够不断重复利用。

研究证实，只要感光细胞和视网膜色素细胞中含有最佳含量的抗氧化物质，就能保护细胞不受氧化应激伤害。

锌和硒

锌和硒是机体抗氧化系统需要的两种重要的矿物质。锌对我们的过氧化氢酶防御系统至关重要，而谷胱甘肽超氧化酶系统非常需要硒。这两套抗氧化防御系统对于消灭眼球中产生的自由基都是非常重要的。如果我们体内这两种矿物质的含量不足，那么这两套系统就不能发挥最好的功能。一些试验显示，当患者补充这些矿物质，尤其是锌时，视网膜黄斑变性会受到控制和改善。

预防白内障和黄斑变性

在临床试验中，我对黄斑变性患者都采用了比较积极的治疗方式，因为我想知道我们是否真的可以修复一些氧化应激已经造成的破坏。而有数十位患者在采用了我的建议后视力得到了改善。采用营养补充同样适用于那些已经得了白内障或者黄斑变性并且希望能够减缓病情发展的患者。

首先，保护眼睛最关键的是不要受高能日光射线的伤害，它们是导致眼部氧化应激的根本原因。健康年轻人的眼球的角膜和晶状体可以吸收大多数的紫外线，保护视网膜。但是角膜和晶状体不能拦截或吸收高能的可视蓝光。随着年龄的增长，眼球晶状体会漏过越来越多的紫外线，降低对保护视网膜的保护作用。

要保护我们的眼睛，阳光就是我们的敌人，减少身体需要应付的氧化应激是关键。购买一副能够过滤所有 UV 射线和可视蓝光的优质的太阳镜是非常值得的。这就意味着你不必去中和那么多的自由基了。

关于眼球的临床试验显示，当抗氧化防御系统负荷超重时，所有的防御都会被突破，氧化应激就会形成。我们都需要尽量保护眼睛和面部不受阳光直射。那些暴晒在阳光中工作或活动的人在户外都应该随时佩戴有保护功能的眼镜。

另一方面，我们应该重新建立身体天然的抗氧化防御系统。而通过服用营养剂可以做到这一点。研究者们让 192 名黄斑变性患者服用抗氧化物质，另外 61 名对照患者没有服用。6 个月后，服用抗氧化物质的患者中有 87.5% 的视力与试验开始时持平甚至更好。对照组患者中只有 59% 的视力与试验开始时持平或更好。

我也会在第十五章中介绍眼病患者需要服用哪些抗氧化物质。

两年前，一位眼科专家问我："你给那些黄斑变性患者推荐的都是些什么营养品啊？我今天早上看到一个患者双眼视力都从 20∶100 提高到 20∶40 了。之前的黄斑变性患者里从来没有过这种情况的。"

我给他大概地解释了本章中介绍的内容。

这位眼科专家打开他的车门去找他的太阳眼镜。他眨了一下眼睛笑了："随便你想帮多少个黄斑变性的患者，不过可别去帮那些白内障的患者。要治他们我们还可以做手术。"

我知道他只是在开玩笑，而且也很欣赏他对营养补充的巨大兴趣。毫无疑问氧化应激就是白内障和黄斑变性的根本原因，所以我们必须采用更积极的营养补充方案。毕竟，没有其他能有效治疗老年性黄斑变性并同时避免白内障手术的手段了。

第 八 章

自身免疫性疾病

马克是一个健康的小男孩，是家里 6 个孩子中最小的一个。他喜欢许多体育活动，而足球是他的最爱。马克 12 岁那年的一天去踢球，他突然觉得腹部绞痛。很快，他又出现了严重的胃痛。腹部的绞痛持续了几天而且伴随着腹泻和呕吐。他的父母给他吃了一些药店买的非处方药却完全无效，只好带他去急诊室，大夫诊断他得了阑尾炎。手术恢复之后，马克出院了。

他没在家里待多久。24 个小时后他因为胃痛、便血和呕吐又被送回了医院。马克这时看起来比手术前更加糟糕。

这个小男孩又住院了，但是当地的医生已经束手无策，他们让马克转院去洛玛·林达大学医疗中心的小儿肠胃病专科。那里的大夫立即对他实行了重症护理。他们在第二天给他做了结肠镜检查并且从他的小肠和结肠取了一些标本做活组织切片检查。

他的父母从监视器上目睹了这个检查过程，他们被看到的结果吓坏了。他们说当时马克的肠子看起来千疮百孔。洛玛·林达医院的医生诊断马克得了一种名为克罗恩病的自身免疫性疾病，同时并发芽胞杆菌感染。

医生立即给他开了 200 毫克的强的松和一些抗生素与镇痛剂。他们开了一整天的会来讨论是否手术摘除马克大部分的肠子。最终他们决定再观察一段时间看看。

马克慢慢在好转，结肠镜复查显示感染已经消除了。这使得克罗恩病典型的表面溃疡症状更加明显。医生告诉他父母这是一种没法治疗的自身免疫性疾病。不知道为什么，马克的免疫系统在攻击他自己的肠子，因此产生了严重的炎症和破坏。

医疗小组建议让马克服用一种名为依木兰的化疗药物，而且他还要坚持服用大剂量的强的松和镇痛剂。治疗 6 周后，他终于可以出院了。然而马克在家里待了不到一周的时间，又因为严重的胃痛被送回了医院。

医生们基本上是通过使用药物抑制免疫系统来控制自身免疫性疾病。但是这些药物的不良反应也会摧毁天然的抗氧化防御系统。马克的病最终得到了控制，但是免疫系统缺损使他无法抵御各种感染。稍微着凉就会导致肺炎，普通的流感也会让他病上几个星期。实际上从第一次发病后的一年内，马克就因为严重的感染而 7 次住院。

马克的父亲听了我在圣地亚哥的一次演讲，来问我有什么建议。我建议他让马克服用强效的抗氧化剂和矿物质，以及大剂量的葡萄籽精华素和辅酶 Q10。我还建议在饮食中补充足够的必需脂肪酸，或者补充亚麻籽油或鱼油。所有这些物质都可以重新建立马克的天然抗氧化防御系统。

马克的状况开始慢慢改善，但还得忍受着胃痛和药物的不良反应。医生慢慢地减少强的松的用量，但没有减少依木兰的用量。马克的父母又来咨询我了，我建议他们咨询一位私人儿科肠胃专家。专家发现马克除了依木兰的不良反应以外其他情况都很良好，他逐渐试着停用所有的药物，包括镇痛药和依木兰。依木兰剂量开始慢慢减少了，同时一位心理学专家教会了马克一些放松的技巧，他终于也可以停用所有的镇痛药了。最后，马克终于不再吃药，而且自我感觉比刚发病之前更好了。

马克现在非常健康，饮食也很正常。他战胜了一种多数人都无计可施的疾病，现在已经不再痛苦，他的克罗恩病已经快 3 年没有发作了。

免疫系统的保护

我们的免疫系统可以保护我们不受病毒、细菌、霉菌、异种蛋白和癌细胞的侵害。这是一套由许多不同种类的免疫细胞组成并互相协作的复杂系统。营养补充不但可以明显增强机体天然抗氧化防御系统的功能。在本章中你还会发现它能明显地增强人体免疫系统的功能。卡尔汗兹·舒密特医生说道："机体防御系统能否发挥最佳功能取决于能否提供正确数量的抗氧化微量营养素成分。"

营养剂和免疫系统

我们再来研究一下医学杂志的记载，看看这些营养成分对我们的免疫反应都有什么样的影响吧。

维生素 E

巨噬细胞在缺乏维生素 E 时会释放出更多的自由基，而且自身存活时间也会缩短。免疫系统实际上是通过制造自由基形成氧化应激来破坏外来的入侵者。在受控的状态下，这其实是氧化应激有利的一面。缺乏维生素 E 还会影响胸腺中 T 细胞的分化；这会导致辅助型 T 细胞和抑制型 T 细胞的比例失衡。

抑制型 T 细胞数量的减少是炎症反应失控的主要原因之一。抑制型 T 细胞是关键的减少免疫反应从而限制连带破坏的"防暴警察"。一些研究者们相信辅助型 T 细胞功能不良是自身免疫性疾病的根本原因。

试验结果证明，补充维生素 E 可以修复免疫系统缺陷，帮助消除感染。而且对中老年人和吸收不良综合征的患者的免疫系统帮助更大。补充维生素 E 还能减少氢化可的松的免疫抑制作用，而人体应激时会大量释放氢化可的松。

类胡萝卜素

类胡萝卜素能够保护附近的正常组织不受免疫系统炎症反应的破坏。正如你已了解到的，补充类胡萝卜素可以增加辅助型 T 细胞和自然杀伤细胞的数量和功能，对抵御癌细胞起着重要作用。它可以提高免疫系统的肿瘤监控能力。

维生素 C

莱纳斯·鲍林医生的发现使我们意识到补充维生素 C 的重要性和它增强免疫系统的能力。已证明维生素 C 能够加强巨噬细胞的功能。这大大加强了我们抵御细菌感染的一线防御系统。

如果你感觉自己即将患感染性疾病，每天服用适当剂量而不是大剂量的维生素 C 比较明智。试验结果显示坚持每天服用 1 克维生素 C 两个月后，免疫系统的许多方面都会得到大幅度提高。维生素 C 还能使维生素 E 再生去对付血液中过多的自由基。这些特性都进一步提高了维生素 C 对免疫系统的增强能力。

谷胱甘肽

已证明补充制造谷胱甘肽所需的营养成分（N－乙酰－L－半胱氨酸、硒、烟酸和维生素 B_2）明显整体增强免疫系统，即使对艾滋病病毒感染者也有帮助。

辅酶 Q10

随着年龄的增长，体内的辅酶 Q10 含量也会下降，从而导致线粒体易受氧化应激的破坏。因为辅酶 Q10 在免疫细胞能源生成的过程中扮演着重要的角色，所以它对免疫系统能否正常工作关系重大。补充辅酶 Q10 能够修复功能从而显著增强免疫系统。

锌

我们的免疫系统几乎处处都需要锌。锌的缺乏会抑制免疫功能，如：淋巴细胞减少，白细胞功能降低，作为免疫系统重要刺激物的胸腺激素也会降低。

许多人只要得了感冒就服用锌锭剂，研究显示每两个小时服用一次锌锭剂的确可以提前几天治好感冒。研究者认为，锌不仅能够促进免疫系统而且可以抑制病毒的复制，但长期服用大量的锌可能会抑制免疫系统的功能。我不反对短期大剂量使用锌或维生素 C 来治疗感冒；但是我相信从长期的角度考虑，服用最佳剂量的这些营养补充会对抗氧化防御系统和免疫系统更有帮助。

当免疫系统的所有成员都以最佳状态工作时，我们的整体健康水平就会显著提高。儿童坚持服用营养补充剂 6 个月后免疫系统就能达到最佳状态。随着年龄的增长，机体免疫系统的反应能力也会下降，因而严重的感染会更频繁地出现。事实上在成年人中，感染（尤其是呼吸道感染）是第四大死亡原因。

英国《柳叶刀杂志》最近报道了一项试验，研究者们对成年患者进行分组，其中一组提供最佳剂量的营养补充，对照组使用的是没有药效成分的安慰剂。服用了营养补充剂的较对照组总体免疫反应得到显著提高，而且出现感染的机会和程度都相对较低。坚持补充营养一年以上才能取得这样的免疫系统功效。试验证实免疫系统与抗氧化防御系统一样，在很大程度上依赖于这些微量营养素。

必需脂肪酸

补充抗氧化物质是我们最好的工具，它们能改善我们的免疫系统、帮助控制炎症反应，还能帮助我们建立起抗氧化防御系统，防止正常细胞受到炎症的破坏。事实上我们自身拥有天然的抗炎系统。当你使用爱得卫（布洛芬第一代）的时候，你有没有想到过你的身体其实也能生成自己的抗炎产品？

并不是所有的脂肪都是不好的。其实必需脂肪就是一个例子——它们是身体不可或缺的部分，我们的身体不能生成这些脂肪，因此必须通过食物来摄取，我们的身体利用这些脂肪来生成健康的细胞膜和一种称为前列腺素的激素。其中，最重要的两种必需脂肪酸是被称为亚麻酸的 omega-3 脂肪酸和别名亚油酸的 omega-6 脂肪酸。我们的身体把亚麻酸转变为主要起抗炎作用的前列腺素，亚油酸则转变为能引起炎症反应的前列腺素。

通过饮食摄取亚油酸和亚麻酸的最佳比例是 4:1，这就是说我们应该食用的亚油酸应该是亚麻酸的 4 倍。西方人的饮食中富含亚油酸，它们主要存在于肉类、蛋奶制品和其他熟食中。我们通过亚麻籽、芥花、南瓜和大豆油等植物油获取亚麻酸。一些冷水鱼类中也含有这些脂肪酸，例如鲭鱼、鲑鱼、沙丁鱼和金枪鱼。因此你可以想象得到，美国人平均摄取的亚油酸要比亚麻酸多——实际上多很多。我们的食谱中这两种脂肪酸的比例是 20:1 甚至是 40:1！

这就导致了我们身体制造的致炎因子远比抗炎因子多出许多，摄取这两种必需脂肪酸的失衡是导致我们身体分泌这些因子失调的主要原因。因此，人们需要补充亚麻籽油或鱼油来使它们重新恢复平衡。

此外，必需脂肪还能够降低胆固醇总量和 LDL 的水平。这就是说，并不是所有的脂肪都是一样的。我不仅建议患者补充亚麻酸，而且还应减少饱和脂肪的摄取。如果做到这两点，炎症反应就会受到控制，而且胆固醇水平也会得到改善。

临床研究显示，通过补充必需脂肪酸，患者的类风湿性关节炎、狼疮、心脏病、多发性硬化症和几乎所有与炎症有关的疾病都得到了改善。这是一种非常重要的保健方法，也是在你失去健康后希望重新获得的重要方法。

我们已经研究过了免疫系统以及它们是如何工作的，也知道了应该如何去消除炎症反应。现在让我们来研究为什么我们的免疫系统会攻击自己的身体。

自身免疫性疾病

最大的优点也就是最大的缺点，这句话用在免疫系统上再正确不过了。许多临床医生认为，每种疾病本质上都是由于我们免疫系统罢工而导致的。但是自身免疫性疾病却令人费解，我们的免疫系统在攻击我们正常的细胞和组织，因此变成了最可怕的敌人。如果它攻击的是关节，那么我们就称之为类风湿性关节炎；如果它攻击的是肠道，那么我们就称之为克罗恩病或者溃疡性肠炎；如果它攻击的是髓鞘，我们称之为多发性硬化症；当它攻击我们身体的结缔组织时，就是所谓的狼疮或硬皮病。

为什么会这样？这又是如何发生的呢？我在医学院的时候学到，自身免疫性疾病是由于免疫系统"过激"而开始攻击"自身"而不是"异物"。不过现在对我来说，自身免疫性疾病更合理的解释应该是免疫系统并非过激，而是迷惑了，所以才会攻击我们的身体。

《新英格兰医学杂志》最近发表了一篇关于自身免疫性疾病的研究文章，作者指出，没有人真正了解为什么免疫系统会转而针对"自身"。但是许多研究者都相信，氧化应激不是导致我们的免疫系统对自身发动攻击的罪魁祸首。

研究证明自身免疫性疾病的根本原因就是氧化应激。类风湿性关节炎、狼疮、多发性硬化症、克罗恩病和硬皮病患者体内的抗氧化物质含量都很低。而抗氧化物质含量偏低能增加类风湿性关节炎和狼疮的发病率。这些患者的氧化应激相关的临床指标都非常高，尤其是在疾病急性发作的时候。

因此，对于这些自身免疫性疾病的患者来说，补充抗氧化物质是一个理想的选择。它们能使氧化应激受到控制，并且避免整个恶性循环。

第九章

关节炎与骨质疏松症

有70%～80%50岁以上的美国人某种程度上都患有一种叫骨关节炎的常见病，别名退行性关节炎。

可能你也经常有早上起来以后浑身僵硬、关节轻微肿胀和关节疼痛等症状。骨关节炎是我最常遇到的慢性退行性疾病，它能影响到颈部和后腰。当关节炎恶化时，还会导致明显不适、疼痛，甚至残疾。

骨关节炎主要是关节软骨退化，但它也同样能影响到滑膜囊（关节囊）及其下面的骨头。当关节软骨开始磨损时，骨头受到的压力就会增大。随着压力的增大，骨头变得更加紧密，因此常见的现象就是关节附近出现骨刺。

你可能听家人或者朋友说过他要做骨关节移植手术了，因为他"骨头挨着骨头"了。实质是说他关节里的软骨（垫子）已经完全磨损了。由于退行性关节炎主要出现在承重关节（髋关节和膝关节），所以负荷超重、外伤或者其他行为导致的重复机械压力都会诱发和加重这种疾病。

骨关节怎样被破坏

关节软骨覆盖于骨头两端，而像膝盖这样的关节还有额外的软骨在两根骨头之间当做软垫。软骨主要是由胶原质、糖蛋白和蛋白多糖构成的。人体软骨组织结构一直经历着合成和破坏的循环。换句话说，要维护关节健康，我们身体合成软骨的速度必须超过其被破坏的速度。因此，平衡是关键。如果关节出现磨损，那么我们就知道不是因为软骨破坏加剧就是因为合成速度减慢了。

骨关节炎是一种炎症性疾病。如果你仔细观察关节炎患者的手，就会发现手指和手掌关节出现了炎症和肿胀。你有没有想过到底是什么导致了这种炎症，它又是如何破坏软骨的呢？答案是多方面的，让我们一起看一下吧。

关节炎症的原因

细胞因子是导致关节炎症的主要原因之一。这些蛋白能在细胞间传递信息，借此调节免疫和炎症反应。其中最重要的两种细胞因子是肿瘤坏死因子 α（TNF-α）和白介素1B（IL-1B），这些因子高度集中于骨关节炎患者的关节附近。

蛋白酶是一些能分解蛋白的酶，同时也能导致关节的炎症反应。蛋白酶是受细胞因子控制的，它们一部分具有抗炎特性，而另一部分则具有促炎（产生炎症）性质。很明显，关节炎的形成是因为促炎蛋白酶占了上风。

吞噬细胞（嗜中性粒细胞）被召集于发炎的关节来试图消除这种反应并且保护软骨和滑膜囊不受破坏，但是这种炎症反应并不总是好现象，嗜中性粒细胞实际上会导致关节炎症加重。

缺血再灌注损伤现象听起来好像很复杂，但是其实却很简单。当我们使用负重关节，例如髋关节或膝关节时，行走特别是跑步时体重产生的压力会切断软骨的血液供应而导致缺血，也就是血液供应不足。当我们减轻压在关节上的重量时，血液又能回流到软骨中（称为再灌注），这个过程与我刚才所讲的炎症都能导致大量自由基的产生。因此，这些自由基会给抗氧化防御系统带来很大的冲击并导致氧化应激。

一旦抗氧化防御系统被突破，关节中的氧化应激就会破坏关节软骨和滑膜囊。如果身体不能尽快修复软骨，关节就会受损。

类风湿

类风湿性关节炎是一种自身免疫性疾病。其成因缘于免疫系统开始攻击关节软骨和滑膜囊。因此，失衡的炎症过程开始破坏健康组织。这种炎症反应不仅生成过量自由基，还召集更多的细胞因子，尤其是 TNF－α。

研究结果显示，类风湿性关节炎患者血液中 TNF－α 因子含量超高，且患者体内自由基比正常人多 5 倍。由于严重的氧化应激，类风湿性关节炎患者的关节受到了严重的破坏。

如果你认识某个患类风湿性关节炎的人，就会知道这种病的危害有多大，它经常会导致功能障碍性残疾和疼痛。虽然类风湿性关节炎患者体内的氧化应激明显大于普通骨关节炎患者，但是这两种病对关节软骨的破坏都是由氧化应激造成的。了解疾病的根本原因极其重要，尤其是用传统的药物疗法治疗时。

关节炎的传统疗法

骨关节炎和类风湿性关节炎的传统疗法是采用非甾体类抗炎药（NSAIDS）和阿司匹林。虽然这些药物能减少关节中的炎症，但是它们也往往会导致一些严重的不良反应，例如胃溃疡和上消化道出血。仅在美国，每年都有 1 万多个由于服用 NSAIDS 导致上消化道出血而被送进医院救治的病例。

针对 NSAIDS 严重的不良反应，制药公司开发了新一代的 NSAIDS，能够明显减少上消化道出血的新药品隆重上市了。不幸的是，虽然与第一代 NSAIDS 相比，这些新药的确能减少上消化道出血的现象，但是仍然有许多不良反应，包括肠道穿孔。

事实上，NSAIDS 只是止痛药，而并不是针对疾病的根本原因——氧化应激进行治疗。类风湿性关节炎症状严重的患者甚至还要服用更强效的抗炎药物，如强的松，或者是化疗药物甲氨蝶呤和依木兰。

佩琪的故事

佩琪是一位非常美丽的女士。第一次见到她时，她的膝盖退化得非常明显，以至于小腿已经有些外偏了。右髋部也非常不适，走路很困难。

右膝严重的退行性关节炎是由于佩琪十几岁时的一次滑雪意外所致。那次意外使她的膝盖软骨受损，而且不久之后她不小心再次弄伤了它。这次她没有选择，只能去做手术，外科医生摘除其大部分严重受损的软骨。虽然他已经尽了力，但是还是告诫她今后这个关节还会出现很多问题。

医生在她右膝上戴了个支架，能在她活动时对膝盖起到一定的保护作用。除此以外，他唯一能做的就是建议她服用 NSAIDS 来止痛和尽可能延迟进行膝盖移植手术的时间。佩琪知道人造膝盖的寿命在运气好的情况下也只有 8 ~ 12 年。她还这么年轻，这辈子可能得做四五次这样的手术。她该怎么办呢？

初次遇到佩琪时，医生刚好跟她讨论完是否应该做膝盖移植手术了，而她正在做着激烈的思想斗争。当然越晚做这手术越好，但是她不得不在当前的痛苦和术后的麻烦之间进行抉择。

佩琪希望尽一切努力去推迟手术，同时又能保证生活质量。她阅读了大量关于营养补充的书，并相信积极的营养补充方案能够对她有所帮助。她开始服用一些有效的抗氧化物质和矿物质，并补充一些葡萄籽精华素、必需脂肪酸、钙和镁。她每天还口服 2000 毫克的硫酸葡萄糖胺。

佩琪坚持遵循医生的治疗方针并且改善饮食。在服用补充营养品几个月后，佩琪明显好转。她不再那么依赖 NSAIDS 药物，而且多年以来第一次可以多做一些活动了。她现在变得更加活跃，而且痛苦也减轻了许多。她甚至克服了多年以来的恐惧心理，又重新滑雪了。

佩琪去找她的医生重新拍了膝盖 X 光片，医生告诉她与两年前的相比，她的膝盖外偏已经没有那么明显，而且骨头间的距离增大了，并解释说 X 光片显示骨间距离增大意味着已经重新生长出了软骨。这消息令她无比高兴。

佩琪现在还是那么活跃，在做着任何她想做的事情（她做剧烈运动的时候还是佩戴着护膝支架），而且她还坚持补充营养。她每年都要为再次延迟了膝盖移植手术而庆贺一番。

抗氧化营养补充

　　像佩琪一样，任何退行性关节炎患者都需要有效和均衡地补充抗氧化物质和矿物质。有力的证据表明，关节炎患者体内缺乏抗氧化物质和辅助营养，例如维生素 D、维生素 C、维生素 E、硼（一种矿物质）和维生素 B₃。如本书所述，要控制氧化应激，则必须补充最佳剂量的上述相关抗氧化物质。

　　佩琪就补充了上述相关营养，同时她还服用了另外一个很重要的东西：硫酸葡萄糖胺。

硫酸葡萄糖胺

　　硫酸葡萄糖胺是合成软骨所必需的基本营养成分之一，它是一种简单的氨基糖，主要用于合成蛋白多糖，而蛋白多糖则是赋予软骨弹性的分子。与 NSAIDS 和阿司匹林不同，硫酸葡萄糖胺的作用不是简单地抑制疼痛，而是帮助重塑受损的软骨。此前的试验就已表明硫酸葡萄糖胺的短期效用，但是，多数医生对此还是不太重视。

　　1999 年，美国风湿病学院的年会上公布了一项为期 3 年的大型随机抽样的双盲临床试验结果：硫酸葡萄糖胺不仅能够减轻关节炎的疼痛和炎症，而且可以终止软骨状况的恶化。引人注意的是有证据显示软骨甚至可以重新生长。而服用传统 NSAIDS 药物的对照组患者的关节还在持续恶化。

　　试验证明每日补充 1500～2000 毫克硫酸葡萄糖胺的关节炎患者疗效显著，而且没有任何不良反应。更令人欣慰的是，当参与临床试验的患者停止服用硫酸葡萄糖胺后，他们的健康状况能保持数周甚至数月。

　　另一方面，NSAIDS 药物如前所述，不良反应明显，例如胃溃疡、上消化道出血，甚至造成肝功能损伤。由于这些药物完全无助于减缓甚至还有可能加速退化进程，因此，越来越多的医生已经开始转而建议患者服用硫酸葡萄糖胺了。

　　虽然我建议关节炎患者服用硫酸葡萄糖胺，我也会给他们开 NSAIDS 来快速止痛。令人高兴的是，我发现决定服用硫酸葡萄糖胺的患者最后基本上都不再吃 NSAIDS 了。而且如果他们愿意增加抗氧化物质、矿物质、必需脂肪酸和葡萄籽精华素等营养补充的话，他们的疗效甚至更好。

　　我并不是唯一深信这一观点的。许多整形外科的朋友也支持使用硫酸葡萄糖胺，因为他们意识到患者最关心的是能否尽量推延关节移植手术的时间。

硫酸软骨素

　　硫酸软骨素经常与硫酸葡萄糖胺配合使用。软骨素也是一种蛋白多糖，负责把水分吸入软骨，使软骨更具柔软性和柔韧性。没有这种重要的营养成分，软骨就会变干变脆。

　　个人感觉最重要的营养成分还是硫酸葡萄糖胺。口服软骨素的作用还需要进一步研究，需要大量的临床病例来判断软骨素到底是否真的有效。我也相信应该做更深入的研究，但是我的一些患者在补充了这些物质之后取得了明显疗效。

硫酸软骨素

　　一些试验结果显示，关节炎患者在补充了硫酸软骨素后有所好转。但这些试验多数采用的都是静脉注射软骨素的方式，而且一些研究者担心软骨素不能通过消化道有效吸收。有的人认为它会被分解吸收后再在关节软骨处重新合成。我感觉我们还需要进行更多的试验来判断它对骨关节炎治疗的整体重要性。

骨质疏松症

骨质疏松症是一种由于缺乏营养而导致的疾病，已成为美国的流行病。美国有 2500 万以上骨质疏松症患者，他们承受着该病引发的骨折的痛苦，并且每年都要因此花掉大约 140 亿美元。在美国，每年至少有 1200 万个骨折病例是由骨质疏松直接导致的。我甚至见过有的患者在走进我的办公室且没有任何受伤的情况下髋骨折断。有些骨质疏松症患者由于椎骨的压缩性骨折而承受着巨大的痛苦。

公众一直认为是否患骨质疏松症仅仅是由雌激素和钙质所决定的。对于这种全国性的疾病，医疗机构只能通过雌激素替代疗法（HRT）来试图帮助绝经期妇女减缓骨质疏松症。

虽然许多人都相信HRT疗法可以减缓骨质疏松症，但实质而言这种疗法弊大于利。1997年，《新英格兰医学杂志》报道了一些试验结果，那些采用了5～10年雌激素替代疗法的妇女，得乳腺癌的比例增长了40%。制药公司迅速对这一负面报告做出了反应，试图说服医生HRT疗法利大于弊，他们往往利用其他一些临床试验结果来鼓吹采用HRT疗法的患者可以减少得心脏病、中风和阿尔茨海默症的可能性。

但是，另外两项大型研究，雌激素/黄体酮对心脏病预防的替代治疗研究和美国妇女健康计划显示，这一疗法并不能减缓心脏病的发展。证据表明，采用HRT疗法的患者心脏病发作的可能性更大，尤其是用药第一年。有趣的是，这些研究显示采用HRT疗法确实可以明显降低LDL，而且明显增加HDL。那么，为什么这些患者得心脏病的可能性会加大呢？

答案是：另外的一些研究显示，服用人工合成的雌激素会极大提高他们的C反应蛋白，也许你还记得，这正是衡量动脉炎症的一个指标。它是一个比胆固醇更能预测心脏病发作的指标——尤其是对妇女而言。记住，心脏病是一种炎症性疾病，而不是胆固醇疾病。

当那些想通过人工雌激素替代疗法避免骨质疏松症的妇女们看到这些临床研究结果之后，可能就会认识到它的弊大于利了。HRT疗法还可能使患者出现下肢血栓和胆囊疾病。现在一些新的治疗骨质疏松症的药物已经上市，例如阿仑磷酸钠、利塞磷酸钠、易维特和降钙素等，它们的确能够提高骨密度。医生越来越倾向于向患者推荐这些药物，而不是HRT疗法，这主要是由于人们已经越来越担心长期采用HRT疗法的不良反应。短期研究显示，这些药物可以显著减少骨折或反复骨折的危险。

骨骼是有生命的组织

还记得高中和大学生物教室里的骨骼标本吗？虽然我们通过这种常见

的模型认识了骨骼，但我们往往把它看做是硬邦邦的骨头（就像标本那样）而没有意识到骨头也是有生命力的活组织，它通过成骨活动（骨的形成）和破骨活动（骨的吸收）不停地进行着自我重塑。

骨头不仅仅是钙盐的聚合，而且是依赖于许多微量营养成分和辅酶系统不断参与生物化学反应的活组织。因此骨头也有营养需求。

美国人的食谱中含有大量的白面包、精面粉、精制砂糖和脂肪，非常缺少必需的营养成分。而食谱中大量的肉类和碳酸饮料，大量增加了磷的摄取而影响了钙的吸收。不能摄取足量的维持骨骼健康所需的任何营养都会导致骨质疏松症。

另一个常见的误区是认为要强化骨骼预防骨质疏松，只需补充钙质就足够了。但事实并非如此，我们还需要补充其他各种必需的营养成分。

要减少脊骨、髋骨和腕骨骨折的危险性，我们必须注意以下几个重要因素：保持适当的骨密度、防止骨骼中的基质蛋白流失，另外还要确保骨骼能获取自我修复和替换缺损部位所需要的所有营养成分。在保护和修复过程中，营养补充都扮演着非常重要的角色。

了解一下每种营养成分如何帮助我们抵御骨质疏松症吧。

钙

毫无疑问缺乏钙质会导致骨质疏松症，但是研究显示，绝经期妇女骨骼缺钙的只占25%。补钙的确可以增加这些妇女的骨密度，但是补钙对于其他75%不缺钙的人不会有任何帮助。换言之，补钙并不能解决所有人的问题。

钙是防止骨质疏松症的必需营养补充。不论男女，我们每天都应补充800～1500毫克的钙，具体剂量取决于每天饮食中摄取的钙量。人体对柠檬酸钙的吸收比碳酸钙要好；但如果摄取足够的维生素 D，这两者的吸收率是基本相同的。不论你服用的是哪种钙，都应该随食物一起服用以便更好地吸收。

注意，儿童也应该补充同样剂量的钙质。研究证明，青春期前的儿童如果每天服用800～1200毫克的钙，骨密度能提高5%～7%。这一发现非常重要，因为这种骨密度的增加能使他们获益终生。

镁

镁对骨骼中的生化反应起着重要的作用。镁能激活碱性磷酸酶，这是一种新骨形成过程中必需的酶。镁还能将维生素 D 转化为更活跃的形式。如果体内含镁量不足，就会导致维生素 D 抵抗。

饮食调查显示 80% ~85% 的美国人食谱中都缺乏镁。

维生素 D

钙的吸收需要维生素 D 的辅助。维生素 D 一般可以通过日晒在皮肤中生成，但老年人一般都不喜欢晒太阳，所以普遍缺乏维生素 D。

我们还可以通过食物和牛奶来摄取维生素 D，但是必须将它转化成生物活性形式维生素 D_3 才能被利用。与摄入量不足相比，不能将维生素 D 转换成维生素 D_3 往往是更严重的问题。因此，在补充维生素 D 的时候应该选用有生物活性的维生素 D_3。

《新英格兰医学杂志》报道了一项试验，研究者测量了 290 名在马萨诸塞州综合医院就诊的患者体内的维生素 D 含量，发现其中 93% 的患者都缺乏维生素 D。令人惊讶的是，即使一直服用复合维生素的患者，体内缺乏维生素 D 的也占了 93%。这一发现值得重视，因为没有维生素 D，人体就不能吸收任何的钙质！

这篇研究报告总结认为我们每个人都需要补充明显高于每日建议摄取量（RDA）的维生素 D。要预防骨质疏松症，每天应该摄取 500~800 个国际单位的维生素 D。而且与维生素 D 和食物一起服用的钙，吸收得会更有效。

维生素 K

维生素 K 是合成降钙素（一种在骨骼中大量存在的蛋白）必需的营养物质。因此，它在骨骼形成、重塑和修复过程中都起着非常关键的作用。一项临床试验显示，通过给骨质疏松症患者补充维生素 K 可有效减少 18% ~50% 的尿钙流失。这意味着维生素 K 可以帮助身体吸收和保存钙质，防止钙质流失。

锰

锰是软骨和骨骼结缔组织的必需元素。一项调查显示，患有骨质疏松症的妇女体内的锰含量仅为对照组妇女的25%。

叶酸、维生素 B_6 和维生素 B_{12}

这个组合看起来是不是有点眼熟？是的。高半胱氨酸（见第五章）不仅损伤血管，而且还危害我们的骨骼。体内高半胱氨酸含量过高的人也有明显的骨质疏松症症状。

有趣的是，绝经期前的妇女分解蛋氨酸的能力较强，很少形成高半胱氨酸，但是在绝经期后这种能力明显下降。这是否能够同时解释绝经期后的妇女患心脏病和骨质疏松症的比率会明显增高呢？事实证明她们需要补充更多的叶酸、维生素 B_6 和维生素 B_{12}。

硼

对于骨骼的新陈代谢过程而言，硼是一种有趣的营养成分。在试验过程中提高硼的含量能使尿钙排泄量降低近40%，硼还能够增加镁的浓度，减少磷的含量。每天3毫克的硼是最佳补充剂量。

硅

硅的重要性在于它能增强结缔组织基质，从而强壮骨骼，帮助新骨生成。

锌

要使维生素 D 正常发挥作用，这种矿物质是不可或缺的。我们发现骨质疏松症患者的血清和骨骼中都存在锌含量不足的问题。

骨质疏松症的预防

　　骨质疏松症是一种痛苦的疾病，患者的椎骨总是反复出现骨折。骨质疏松症不仅仅是由于缺钙和缺乏雌激素所致，多种营养素可以帮助骨骼重塑新生。

　　我们还需要控制体内的氧化应激。研究显示，体内骨密度较低的人氧化应激也比较大。所以你不仅需要补充骨骼生长所必需的营养成分，还需要服用各种抗氧化物质和辅助营养剂来增强自身的抗氧化防御系统。

　　我建议患者，不论男女，最好在40岁之前就应该开始补充高品质的抗氧化物质和矿物质，并且额外补充钙、镁、硼和硅等。成年人还必须注重健康饮食和适当运动。运动项目中应该包含负重锻炼，因为它可以促进骨骼的生成。步行也许对小腿有帮助，但是对背部和髋部的帮助不大。上体负重练习，例如举重物过头也能很好地帮助我们预防这种严重的疾病。

　　即使是绝经期已经发现患有早期骨质疏松症的女性患者，也能用同一方法改善骨密度。如果她们愿意改变生活习惯，我暂时不用阿仑磷酸钠、利色磷酸钠、易维特和降钙素这些药物，而给她们服用营养素，调节膳食并开展负重锻炼。

　　预防关节炎和骨质疏松症的关键都在于细胞营养。

　　正如你已经看到的，这些可能致残的疾病不仅仅是缺钙或者缺乏雌激素引起的，营养补充也同样不可忽视。

第 十 章

肺病

在考虑到体内氧化应激来源时，最重要而且最有效的途径就是呼吸道这条通路。呼吸道从鼻腔入口一直延伸到肺部薄薄的肺泡。我们今天呼吸着的空气里充满了臭氧、氮氧化物、燃料废气和二手烟。一句话：吸进去，咳出来。

我永远也不会忘记去圣地亚哥施恩医院实习的经历。我在中途去阿苏萨市探望朋友，那里烟尘很大。早上，我的朋友带我走进他家的院子，想看看伟大的圣伯纳德汀诺山脉。而问题是：我们根本没有办法看到它。我永远也不会忘记他深深地吸了一口气，告诉我早上的空气是多么的清新。我也学着他深吸了一口气，但是却开始不停地咳嗽。之后的几个小时，我每吸一口气都会止不住地咳嗽。令人惊奇的是，当地人有一句玩笑话说：看不见的空气是虚假的。根据当天的新闻报道，我描述的这一天只是一个"烟尘浓度适中"的日子。

空气污染物会在我们的呼吸道乃至身体中产生大量的氧化应激。而当你吸烟时，氧化应激则更加严重，你实际上是在毁坏自己的鼻腔和肺。

不过大自然没有弃我们于不顾，它创造了一套复杂而精密的防御系统帮助我们的呼吸系统抵御这种攻击。

肺的天然屏障

抵御有毒的致氧化物的第一道防线被称为上皮表面黏液层（ELFS）。我们从鼻腔到肺底都覆盖着一层厚厚的黏液。这些上皮细胞表面覆盖着纤毛，形成了精细的刷状缘。刷状缘可以把我们从外界吸入的微粒、细菌和病毒扫出体外。这层厚厚的黏液层还含有丰富的抗氧化物质，可以中和我们吸入的污染物，例如臭氧、氮氧化物和燃料废气等。它们组成了一套有效的保护层，使得大多数情况下污染物没有机会接触到下面的上皮细胞。

ELFS 是我们的第一道防线，能够有效地预防呼吸道感染。下层的上皮细胞还会为其生产出一些抗氧化物质，包括维生素 C、维生素 E 和谷胱甘肽，来中和掉所有被我们吸入的污染物，从而保护肺组织和肺功能。其中维生素 C 表现得最突出，它不仅仅是重要的抗氧化物质，而且还能重新生成维生素 E 和谷胱甘肽。

不过，呼吸道感染和通过空气中的污染物仍然可能突破这层抗氧化系统。此时，大量的免疫反应就会发生。由于免疫反应召集了大量的白细胞来消灭入侵的生物体或污染物，肺部黏液层的液体会变得非常黏稠。

正如你已经知道的，免疫反应会诱发炎症。如果入侵者能被迅速消灭，所有的问题都迎刃而解。但是如果炎症反应不能停止或者受到控制，就会导致下层的上皮细胞受损而转变为慢性炎症，损伤肺组织并削弱肺功能。

哮喘

肺部的慢性炎症可导致患者易于疲乏和免疫功能下降。无论是抵御慢性感染还是空气中的污染物，慢性炎症都可能导致哮喘反应，尤其在儿童中发生较多，他们总是不断地出现感染，精力也远比不上那些呼吸道健康的孩子。

20 世纪 70 年代初我刚从医时，医生认为哮喘的根本原因是支气管痉挛，即环绕着我们支气管的环形肌肉痉挛而使肺部通气管道狭窄，从而导致了胸闷、气短和喘息（声音很大，往往不需要听诊器也能听到）的现象。当时首选的治疗方法是使用能够缓解支气管痉挛的药物，例如茶碱和舒喘宁。如果患者的病情非常严重，还会给他们加服强效抗炎药物强的松。

但是在我从医几年后，研究者们开始发现哮喘从本质上来说是一种慢性炎症。而治疗方法也开始相应地改变，我们停用了茶碱类的药物，转而首选一些抗炎药物（吸入式的类固醇或色甘酸钠）。而过去 10 年中进行的研究进一步地推断出哮喘和几乎所有慢性肺部疾病的根本原因是由氧化应激所导致的。

我孩子的体育老师告诉我，在她 20 年前开始教学的时候，要求孩子们跑 1 英里不是什么大问题。但是现在若要求孩子们跑 1 英里，她会收集到满满两口袋喷雾剂瓶子。哮喘已经变成了全美国乃至所有工业化国家孩子们的流行病。

当我在伦敦和荷兰演讲时，听众们最关心的问题就是孩子们患哮喘的严重性。而全世界的范围内，这一代的孩子吸入的空气污染物比以往任何一代都多。我看见一些孩子还没到 2 岁就患上了严重的哮喘，为了能够呼吸而服用的药量大得令人难以置信。

目前大多数药物的目的是减少炎症反应和缓解随之而来的支气管痉挛。但是，氧化应激这一根本问题还是没有得到解决。

我从一些临床试验结果中看到，哮喘病患者肺部细胞黏液层的抗氧化物质明显不足。这些孩子即使在没有发病的时候，黏液层的抗氧化物质维生素 C、维生素 E 和 β–胡萝卜素含量都很低。相反，由于氧化应激导致慢性炎症和呼吸道过度活跃而产生的副产品却很多。

亚当的故事

亚当 3 岁的时候就得了严重的支气管哮喘。他不断地吃着各种药物，而且必须用雾化器（一种能把药物和普通的盐水混合释放的呼吸机）来接受舒喘宁治疗，但是他对药物耐受能力很低。由于含有刺激成分，亚当很难入睡，而且还出现了心悸。更不幸的是，虽然用了这些药物，亚当还是不能跑步、打球，或者参加哪怕是最轻度的活动。他经常感冒并诱发呼吸困难被送往急救室。

　　最可怕的事情发生在亚当 4 岁生日那天。他得了感冒并且迅速恶化，高烧至 105 华氏度（40.5 摄氏度），急救室 X 光显示他有严重的肺炎和无法控制的哮喘。现在我们很少担心自己的孩子会死于肺炎，但亚当父母却很担心。

　　虽然医生们竭尽全力地医治亚当，但是他还是无法适应那些药物。他的父亲开始寻找其他任何可能帮得了亚当的治疗方法。当这位父亲告诉我亚当的情况时，他们已经在初夏时开始口服一种复合维生素，而亚当在那时能待在游泳池边上试着下水去玩。到了夏末，亚当已经可以游到泳池的另一头儿了。亚当还可以打棒球，并且最后甚至可以踢足球了。事实上随后的 4 年中，他一直在足球队中踢球。

　　亚当不仅能够玩耍，而且在体育方面表现出色。他已经停用大多数的药物，只需要偶尔用一下喷雾剂了。亚当现在已经 13 岁了，仍然热衷于体育运动，并且过上了一种他和他父母曾经不敢想象的生活。

　　这位年轻的运动员还在坚持服用一种强效的复合维生素，而且增加了一点葡萄籽精华素并加大了维生素 C 的剂量，他的父母看着孩子从基本残疾变得如此活跃一定喜出望外。营养补充带来的终生变化是那么的简单而深刻。

哮喘与营养

　　现在当碰到患有严重的过敏性哮喘或干草热的孩子，我就会意识到他存在明显的免疫和抗氧化防御系统功能低下的问题。这些孩子刚来找我的时候，几乎对任何东西都过敏。他们都有黑眼圈，很疲倦，而且都服用着大量的药物。

　　我会让他们服用一种强效抗氧化物质和矿物质，另外还会增加一些低温压榨的亚麻籽油或鱼油来补充必需脂肪酸。必需脂肪酸是很重要的，它能使身体产生天然的抗炎物质，从而有助于控制炎症。

　　葡萄籽精华素不仅是一种优良的抗氧化物质，而且还有抗过敏作用。我建议患者按照每公斤体重 1～2 毫克的剂量来服用葡萄籽精华素，并同时额外补充一些钙和镁。镁有助于缓解肌肉的痉挛。正是由于这种痉挛导致了呼吸通道狭窄，所以补充镁可以帮助呼吸道扩张。

我一直告诉父母们要强化孩子的抗氧化和免疫系统大概要花 6 个月的时间，所以他们不需要操之过急，所有患了哮喘或者干草热的孩子通过这种营养补充方案治疗后都有了好转。有的情况像亚当那样理想，有的只是相对好转，但疗效是肯定的。

请注意：我从不认为患了哮喘的孩子们应该停用他们的药物，因为就如我前面已经讲过的，营养补充不能替代药物——它们的作用是互补的。

我喜欢治疗有严重过敏症状的孩子，因为他们对营养补充的反应非常好。一位妈妈在让孩子服用了我推荐的营养物质后告诉我，她 5 岁大的女儿正在滑雪橇。按照惯例，这位妈妈拿着孩子的喷雾剂耐心地等在门口。她的孩子已经两年多离开喷雾剂就完全不能进行任何活动了，尤其遇到户外的冷空气。当发现小女儿已经可以在雪地里玩上一个上午而不需要喷雾剂时，这位妈妈震惊了。

还记得有一次我们全家沿着密苏里河散步，我的女儿和外甥女开始追逐着赛跑起来。而我在后面呼喊着为她们加油，我女儿胜出后开始取笑我的外甥女。我的外甥女立即回答说她当时只是惊讶于自己竟然能够跑步了。她原来由于得了运动性哮喘而根本不能跑步的。我忘记了自己几个月前就让她开始补充营养物质了。

成年的哮喘病患者也能取得同样的疗效。在我的妻子莉兹还患有慢性疲劳和纤维肌痛时，最麻烦的问题就是她的严重的哮喘和干草热。如果不戴那种需要接触有毒材料的工人才会配备的巨大面罩的话，她根本无法走进马棚。

莉兹当时用着 5 种不同的药物来控制哮喘和过敏，其中包括抗过敏针。但是当她进行治疗性营养补充方案之后，她的哮喘和干草热都迅速好转了。她的防御系统开始重建，不再需要佩戴面具，也停用了所有的药物。她偶尔还会出现一点过敏症状而必须要吃点药；但是这种情况一年大概只有两三次。

不用说，人们都承受着我们所处环境的攻击，他们需要营养补充的支持。正如亚当的例子，药物并不能解决所有问题。我强烈建议人们服用营养补充剂与药物互补。

问题是，为什么只有我这么做？为什么医生们那么不愿意建议他们的哮喘病和过敏症患者补充这些营养呢？这对我来说是一个谜。

空气污染与慢阻肺

患者们艰难地呼吸每一口空气，往往一天 24 小时都必须吸氧。这就是慢性阻塞性肺病（COPD）患者的困境，它包括肺气肿、慢性支气管炎和细支气管炎。患者几乎无法活动，肺功能的残缺极大地妨碍着他们去享受生活。

空气污染是一个关键因素。大量证据显示，吸入香烟烟雾和空气中的污染物会加重氧化应激，而氧化应激正是慢阻肺的根本致病原因。随之而来的肺部的慢性炎症还会产生更大的氧化应激，从而破坏敏感的肺组织。肺组织受损导致肺功能下降，氧气也就无法通过受损的细胞膜快速地进入血液。

慢阻肺的病因是氧化应激

W. 麦科尼在美国胸科医学会杂志和诺瓦提斯座谈会上提到，他认为，大量科学证据显示氧化应激是慢阻肺的根本原因。他发现由于氧化应激增大和饮食中可能缺乏抗氧化物质，许多这种患者肺组织中都缺乏抗氧化物质。他指出，因此采用能有效被肺部吸收的抗氧化物质作为治疗手段不仅可能减少氧化应激直接导致的损伤，而且还很可能消除慢阻肺发展过程中的关键因素。

传统药物疗法，尤其是类固醇对慢阻肺的治疗收效不明显。显然，医生们首先要做的事情就是帮助吸烟的患者戒烟。我发现让患者戒烟要比戒酒甚至戒用一些麻醉剂更难。但是这对患者有巨大的好处。因此，我愿意去做任何事情来帮助患者们戒烟。

（你会在这本书中发现一条原则，那就是必须尽量避免接触这些会产生额外氧化应激的事物，要健康不仅仅是建立自身的抗氧化防御系统就能做到的。）

如果你已经得了慢阻肺，营养补充可能是减缓病情的最好方法。这一原则适用于所有慢性肺病，就像它对哮喘病那样有效：越早开始采用营养补充方案，你就越有机会控制病情的发展。一旦肺部严重受损，那么肺功能就很难得到明显的改善。

我们现在被动地生活在一个充满毒素的世界中，而肺部可能是最容易受到影响的部位。虽然机体有一套很好的天然防御系统，但是它们仍然可能会失效，我们必须把天然防御系统提高到适合工作的最佳水平。

看着哮喘病、过敏症和慢阻肺的患者通过营养补充加强了肺部天然的抗氧化和免疫系统的效能，而得到明显好转，这难道不是一件让人惊喜的事情吗？这不也是你正在寻找的奇迹吗？

第十一章

神经系统退行性疾病

2001 年 8 月是卡尔·莫纳的 80 岁大寿，世界各地的艺术爱好者都在庆祝他的生日，尤其是得克萨斯州麦卡伦市的人。

卡尔是一位传奇人物，1941 年他成为奥地利萨尔茨堡市的一名演员。第二次世界大战中断了他的演艺生涯，战后卡尔又回到了电影圈，1951 年他出演了《流浪的爱》，这是他的第 61 部电影。他的作品中最著名的包括获得 1954 年戛纳电影节金棕榈奖的《最后的桥》，第二年获同一奖项的《打斗的男人》现在已成为经典之作。其实卡尔最爱的是绘画，电影的结构和深度吸引着他，但是对卡尔来说，色彩是生活这部戏剧的对白，画布则成为这位艺术家展示激情的舞台。

直到 1988 年，卡尔的生活永远地改变了，卡尔被确诊得了帕金森综合征，这给他的未来蒙上了一层阴影。卡尔说话越来越困难，行走能力也急剧地下降了。但是色彩和戏剧仍然活跃在他的眼前，他仍日复一日地在画布上工作。虽然未来很不确定，但是卡尔还是尽可能长时间地作画。

虽然传统的药物刚开始还有一些作用，但是到了 20 世纪 90 年代中期，这位画家不得不在轮椅上挥毫泼墨了。1999 年夏天，卡尔来咨询我营养补充剂对他是否会有帮助，我推荐他服用一种强效抗氧化物质和矿物质，同时服用了大剂量的葡萄籽精华素和辅酶 Q10。

6 个月后，卡尔发现自己舌头的活动能力有所恢复，而且已经可以站起来稍微走动一下了。我决定增加葡萄籽精华素的用量。他回复说他现在已经可以每天起来走动20次了。他的物理疗法也起到了帮助，他的整体力量已经开始恢复。最让卡尔兴奋的事情莫过于能够继续绘画了。

多数人都认为帕金森综合征是艺术家最可怕的敌人，因为它会严重影响肌肉的活动。但是卡尔还是能在一些全国最具挑战性的艺术展上展示自己的作品并获奖。为了庆贺卡尔80岁生日，麦克阿兰国际博物馆馆长弗农写到："卡尔，你能从平凡的事物中看到美丽和深思，你通过自己的作品向我们展示了你对周遭事物独到的看法。"

作为一个普通人，我敬畏于卡尔通过艺术向我们展示的美。作为一个医生，我惊讶于他竟然还能作画这一事实，更不要说以最高的创作水平参加比赛了。

"人们对他的作品反响很大，"卡尔的妻子说，"这就是他的生活目标。当沉浸在工作中的时候，帕金森综合征似乎暂时远离了他，剩下的只有他和画。"

氧化应激与大脑

你有没有思考过自己的思考能力呢？当搜索你自己的记忆库，回想起栩栩如生的童年经历或者与家人度过的特殊时刻时，你有没有诧异过自己为什么还能记得那些小小的细节？现在请你看看窗外，你有没有惊讶地思考过为什么有色彩丰富而且视野宽广的视觉？只有大自然创造出来的神奇的大脑才使这一切变为可能。

大脑是我们最宝贵的器官，因为没有它完善的功能，人类就仅仅能够存在，而无法与周围的世界沟通。我的母亲死于一种恶性脑瘤，这种病影响了她的语言理解和表达能力。这是我生命中最伤心的时刻，因为她无法理解我们所说的话。当我们告诉她爱她时，得到的回复只是她空洞的眼神。她的语言也变得支离破碎、毫无意义。

现在你一定不会感到奇怪，大脑（中枢神经系统）和神经（外周神经系统）也受着氧化应激的威胁。它可能破坏我们的大脑和神经，这些疾病被称为退行性神经病。其中包括阿尔茨海默症、帕金森综合征、ALS（葛雷克氏病）、多发性硬化症和亨汀顿氏舞蹈症。大脑和神经受氧化应激影响主要有以下几个原因：

- 大脑承受更多的氧化活动，因此会产生大量的自由基。
- 形成神经指令的各种化学成分的正常活动也是产生自由基的主要原因。
- 大脑和神经中的抗氧化物质相对较少。
- 中枢神经系统是由无数不可复制的细胞构成的，这就意味着一旦它们被破坏，就很可能终生丧失功能。
- 大脑和神经系统很容易受到破坏，某个重要区域的少量损伤就可能导致严重的问题。

　　大脑是人体最重要的器官。如果大脑被破坏，我们的思想、情感和对外界的推理和沟通能力都会受到威胁。怎样才能保护好这个最宝贵的部件呢？这不仅仅是预防神经退行性疾病，最重要的是要保护我们的思考和推理能力。

大脑的老化

　　氧化应激是老化过程的主要原因，没有什么比大脑的老化更能证明这一观点的了。科学研究证明脑细胞线粒体和 DNA 的氧化损伤会导致脑细胞功能不良甚至死亡。正如我已经指出的，脑细胞没有再生能力。所以当我们由于氧化应激而失去越来越多的脑细胞时，大脑就无法再像年轻时那么好使了。用医学术语来说，这会导致所谓的失智。用外行话来说，就是我们会失去思考和推理的能力。因此，氧化应激是我们大脑功能的最大敌人。

　　大脑的老化实际上是身体最重要的细胞退化的第一步。就像我们不会突然患上其他退行性疾病一样，没有人会在某天起床时突然患上阿尔茨海默症或者帕金森综合征，这些疾病都是大脑氧化损伤的末期表现。它们只是大脑开始老化以后的某种延续，当最终有足够数量的脑细胞被破坏之后，疾病才会出现。

　　当患者被确诊为帕金森综合征时，大脑中被称为黑质的特定部位已经有 80% 以上的脑细胞被破坏了。这些神经退行性疾病实际上已经发展了十几二十年。

让我们逐一分析一下其中的一些疾病吧。

阿尔茨海默症

阿尔茨海默症影响着 200 多万美国人。阿尔茨海默症患者不仅不知道身处何时，甚至连自己的家人也认不出来了。

没有什么比丧失思考能力更可怕的事了。任何一个有家人得过阿尔茨海默症的人都会理解这是怎样悲痛的一件事。如果你深爱着的人得了阿尔茨海默症，你会深深地体会到人生最重要的是生活的质量，而不是大多数人所关心的生命的长度。

我治疗过上千名阿尔茨海默症患者，我看到他们的生命中有 10～15 年的时间在精神上是完全与家人和朋友隔绝的。就在我撰写这一章的时候，前任总统罗纳德·里根正在"庆祝"他的 91 岁生日。可悲的是，生日对那些阿尔茨海默症患者和他们的家人来说没有任何意义。

大量的研究证明了自由基的破坏是患上阿尔茨海默症的根本原因。凯斯西储大学的研究者们发现随着年龄的增长，氧化应激的增加导致阿尔茨海默症的各种表现。有力的证据是阿尔茨海默症患者的大脑中明显缺少抗氧化物质，而且遭受着氧化应激。

1997 年 4 月《新英格兰医学杂志》报道了一项研究证明，大剂量的维生素 E 可以明显减缓阿尔茨海默症病情的发展。每天补充 2000 个国际单位维生素 E 的中度阿尔茨海默症患者与服用安慰剂的对照组的患者相比，可以在家里多待两到三年的时间。

我们不难设想少住一段时间的养老院会为一个家庭节约多少开支（更别说心灵上的平静了）。使用其他抗氧化剂，例如维生素 C、维生素 A、维生素 E、锌、硒和芸香苷（一种生物类黄酮抗氧化剂）的临床试验结果也很乐观。

帕金森综合征

弯腰弓背、行动迟缓、身体僵硬和手部震颤动作是帕金森综合征的特征。穆罕默德·阿里在公众场合的表现让我们清楚地认识了这种疾病的症状。令人不可置信的是卡尔的病情远比阿里严重，而他竟然还能作画。

相关研究认为自由基是帕金森综合征的根本原因。大脑黑质区脑细胞实质性的坏死（大约80%）会导致多巴胺分泌不足，而多巴胺是大脑正常工作所必需的物质。

研究显示，帕金森综合征早期患者通过服用高剂量维生素C和维生素E可以缓解病情进展。与对照组患者相比较，他们甚至可以有约两年的时间不需服用任何控制这种疾病的药物。谷胱甘肽和N-乙酰-L-半胱氨酸（均为抗氧化物质）也能有效地保护黑质区的神经免受氧化应激的进一步伤害。

多发性硬化症

多发性硬化症影响着大约25万美国人，其中女性发病率大约是男性的2倍。与阿尔茨海默症和帕金森综合征的实质性脑细胞损伤不同，它只影响了髓鞘（神经周围的绝缘体）。髓鞘的剥离，即脱髓鞘会导致神经功能损伤。就像电线由于外层的绝缘体脱落而短路，而这也是出现多发性硬化症临床症状的原因。

利文医生在1992年提出髓鞘中大量的羟基导致了多发性硬化症，其他研究者们也证明，急性发作期的多发性硬化症患者体内氧化应激远高于稳定期的患者。

多发性硬化症与其他神经退行性疾病的不同在于它的神经损伤是由自身免疫系统而不是外界毒素所导致的。当人体自身的免疫系统开始攻击髓鞘时，就会产生能损伤神经的氧化应激。

多发性硬化症对细胞营养的反应特别好。我深信，与阿尔茨海默症和帕金森综合征脑细胞不可逆转的损伤不同，机体有可能修复髓鞘的损伤。

在减缓甚至扭转神经系统退行性疾病的过程中，我们还远远没有发挥出抗氧化物质的最大功效，原因主要有以下几个：首先，当医生已经能够确诊患者患了阿尔茨海默症或帕金森综合征的时候，大脑中已经有大量的细胞受损，我们开始治疗的时候已经太晚了。其次，要成功地减缓神经退行性疾病的进展，我们必须对能够突破脑血屏障的抗氧化物质进行深入研究。第三，对于像多发性硬化症这样的患者，我们需要使用能同时有效地进入大脑和神经中的抗氧化物质，而对于通过脑血屏障的抗氧化物质的研究甚少。

脑血屏障

大脑需要一道能隔离血液的屏障来实现复杂的神经指令传输。脑血屏障就是大脑中小动脉血管的上皮细胞层，非常紧密，营养成分很难穿越该层进入大脑。

大脑需要的营养成分靠特殊的转运蛋白帮它们穿越这道屏障。同时有毒物质、病原体和多数其他营养成分都很难突破这道屏障。这使大脑处于相对独立的状态，只有最需要的营养成分才能进入。就像中世纪的城堡一样，四面环水，高墙耸立，唯一的入口只是一道吊桥，因此我们的大脑也能很好地避免来自外界的危险。大自然为保护我们身体最敏感的区域创造了这一神奇的防御屏障。

那么当大脑老化的时候又会如何呢？

特拉维夫市拉宾医学中心指出，由于环境污染，大脑面对的毒素明显增多且会产生氧化应激，我们身体的抗氧化防御系统已经不能胜任保护这一重要器官的使命了。他们相信通过补充抗氧化物质可能会减少或者预防氧化应激带来的破坏。但这些抗氧化物质必须是能够突破脑血屏障的。

让我们来分析一下各种可以保护这些敏感细胞的重要的抗氧化物质，以及它们穿越脑血屏障的能力吧。

大脑所需的抗氧化物质

维生素 E

维生素 E 是一种脂溶性抗氧化物质，对于保护大脑和外围神经细胞非常重要。大剂量维生素 E 能够穿越脑血屏障。因此，维生素 E 的确是一种非常重要的保护脑细胞的抗氧化物质，但是可能并非最佳选择。

维生素 C

维生素 C 可以聚集在大脑和神经周围的组织和液体中。它能够通过脑血屏障，而且大脑中的维生素 C 含量是血浆中维生素 C 含量的 10 倍。维生素 C 不仅自身就是一种优秀的抗氧化物质，而且它还能使维生素 E 和谷胱甘肽再生，因此是保护大脑和神经细胞的一种非常重要的营养成分。

莫里斯医生在研究中指出，给年过 65 岁的老人补充维生素 C 和维生素 E 确实可以降低他们患上阿尔茨海默症的风险性。关于维生素 C 我们还要进一步进行大型研究。

谷胱甘肽

谷胱甘肽是大脑和神经细胞最重要的抗氧化物质。但是这种营养成分很难通过口服方式吸收，而且我们还不清楚它是否能够穿越脑血屏障。一些研究采用了静脉注射的方式补充谷胱甘肽，结果显示能显著改善帕金森综合征患者的状况；但是研究的病例较少。因此补充谷胱甘肽的好方法是为身体提供适当的营养成分（N－乙酰－L－半胱氨酸、叶酸、硒和维生素 B_2），使其合成谷胱甘肽。还有其他抗氧化物质（维生素 C、硫辛酸和辅酶 Q10）能使谷胱甘肽再生而被反复利用。

硫辛酸

医疗界越来越意识到硫辛酸是一种重要的抗氧化物质。它不仅能溶于水也能溶于脂肪，而且还能顺利地通过脑血屏障。它还能够使维生素 C、维生素 E、细胞内的谷胱甘肽和辅酶 Q10 再生。

硫辛酸的重要特性之一就是它能吸附大脑内的有害金属，帮助身体把它们排出体外。已证明诸如汞、铝、镉和铅等重金属能增加患神经退行性疾病的风险性。因为脑中含有大量的脂肪，它们容易积蓄在脑组织中，产生大量的氧化应激，而且一旦进入中枢神经系统就很难被清除。既能中和自由基又能清除有毒重金属的抗氧化物质在神经系统疾病的预防和治疗中的地位日益突出。

补充一句，避免使用含铝的除臭剂和厨具是明智的。当发现重金属的确可以增加身体的氧化应激之后，你应尽量避免接触它们。

我同意汞的毒性可以对大脑造成严重伤害的这种看法。建议所有人，尤其是儿童，尽量避免采用汞合金作为齿槽填充物（不过不必急于去清除那些已经装好的汞合金填充物。因为如果处理不当，它可能会带来更大的危害）。

辅酶 Q10

辅酶 Q10 是有效的抗氧化物质，也是细胞产生能量所需的最重要的营养成分。临床研究显示线粒体中的氧化损伤是导致神经退行性疾病重要的原因之一。

随着年龄的增长，我们的大脑和神经细胞中的辅酶 Q10 会明显减少。辅酶 Q10 正是阿尔茨海默症和帕金森综合征预防中缺失的一环，但是我们还需要更多的证据支持。我们尚不清楚辅酶 Q10 能否顺利地通过脑血屏障。

葡萄籽精华素

研究显示葡萄籽精华素可以非常容易地穿越脑血屏障。它是一种特别有效的抗氧化物质，而且能高度聚集在大脑和神经组织的液体和细胞中，这使它成为大脑最理想的抗氧化物质。我的经验显示它对治疗神经退行性疾病的疗效惊人。

保护我们珍贵的大脑

每个人都希望能够维持和保护良好的思考以及推理能力。当人们总是忘记自己的钥匙放在哪里，又或者总是想不起邻居的名字时，就会担心是不是患了阿尔茨海默症。

我并不惧怕死亡，但是在从医 30 多年而且看到过那么多残疾的患者之后，我的确担心自己的灵魂会不会被囚禁在躯体内。一些阿尔茨海默症患者已经十几年无法认出自己的配偶或者孩子了，但他们的身体却很健康。只要去养老院走一走就会理解我为什么那么担心了。

要记住，对于大脑，我们必须着眼于预防和保护，因为一旦某个脑细胞死亡，它就不可能再生了。

要减少罹患这些严重致残疾病的可能性，我们必须记住两个重要的观念：首先，同时选用多种能顺利穿越脑血屏障的抗氧化剂。其次，尽量避免接触我提到过的任何一种重金属和环境中的其他毒素。平衡就是关键，我们同时还要强化自身的天然防御系统。

我在后面介绍的细胞营养方案能够帮助人们实现保护和维持大脑健康的目标。如果你已经在为自己记忆力的下降而担心，又或者有严重的阿尔茨海默症家族史，你还应该额外补充一些我称之为优化剂的营养成分。这是一些已知能穿越脑血屏障的抗氧化物质，例如葡萄籽精华素。

我曾使一些多发性硬化症患者摆脱了轮椅开始行走，而我的其他一些多发性硬化症患者通过营养补充稳定了病情。

多发性硬化症是一种能够通过改善免疫系统来治疗的免疫性疾病。医生们现在正在使用能改善免疫反应的 Betaserone 和干扰素 β－1a 来治疗这种疾病。补充强效的抗氧化物质、矿物质、辅酶 Q10、葡萄籽精华素和必需脂肪酸也能起到基本相同的作用；而且它们完全没有任何不良反应。另外，我还坚持鼓励患者们在补充营养的同时继续服用医生们开的药物。其中一些多发性硬化症患者的好转的确非常明显，所以他们去咨询医生是否可以停服那些药物。

很明显，大脑和神经功能正常是我们身体健康必不可缺的部分，而它们的主要敌人就是氧化应激。由于神经细胞很难再生，所以必须时刻保护它们不受伤害。

我们能否通过饮食补充可以通过脑血屏障的强效抗氧化物质来保护我们不受这些疾病的危害呢？目前尚无定论。但是医疗界已经有足够的证据来建议患者们选择健康的饮食和补充最佳水平的抗氧化物质。这种方案只会有百利而无一害！

第十二章

糖尿病

糖尿病是当今最普遍的疾病之一。过去35年里，工业化国家中糖尿病患者数量增加了5倍。仅美国每年用于治疗糖尿病及其并发症的开支就达1500亿美元。大约1600万美国人患有糖尿病，而其中有将近一半的患者并不知道自己有糖尿病。所以即使那些"非糖尿病患者"也应该阅读这一章的内容。

糖尿病本身已经是个重大问题，但这种疾病带来的不良反应更加严重。例如，新出现的晚期肾病病例中有1/3是由糖尿病引起的。每5名糖尿病患者中有4名最终并非死于糖尿病，而是糖尿病诱发的心脑血管疾病（心脏病发作、中风或外围血管疾病）。而成年人截肢术和失明的最大病因就是糖尿病。

糖尿病已经成为流行病。其中90%以上的病例都属于Ⅱ型糖尿病（以前称为成人发病型糖尿病）。Ⅰ型糖尿病原名青少年型糖尿病，通常发生在儿童身上，原因是由于胰腺受到免疫攻击而导致缺乏胰岛素，因此应用胰岛素才能生存。但是我在本章中将把注意力放在Ⅱ型糖尿病上，因为这种类型的糖尿病正在发展为流行病。

为什么得这种疾病的患者人数激增呢？我们有没有什么方法降低患糖尿病的风险呢？

当然有。

与乔的初识

乔来做常规体检的时候只有 41 岁。他当时没有任何不适，只是觉得好些年没体检过了，所以应该彻底检查一下。在体检过程中，我们抽了一点血。

当我看到化验员向我展示的乔的血样时，我吃惊了，而且非常担心。这些血液看起来是粉红色而不是正常的红色。经离心机分离后，样本上层部分看上去就像奶油一样（证明里面全是脂肪）。化验报告显示乔的胆固醇指标为 250，其中 HDL 仅 31，而他的甘油三酸酯竟然高达 1208。

甘油三酸酯的正常指标应该在 150 以下，而且它与 HDL 的比例应该在 2 以下。但是乔的比例已经接近 40 了！虽然他的空腹血糖测试水平仍然正常，但是乔已经有了糖尿病的早期症状——X 综合征。

X 综合征：隐形杀手

大多数人像乔一样从来都没听说过 X 综合征，但有必要了解一下。杰拉尔德·里文斯医生是斯坦福大学的一名教授，他认为 X 综合征是一连串由同一原因即胰岛素阻抗所导致的问题。经调查，美国大约有 8000 万成年人患有此病。

让我们先来分析一下为什么我们的身体开始抵抗胰岛素。

什么是胰岛素抵抗

美国人总是追求高碳水化合物低脂肪的食谱，但是实际上多数美国人还是吃着高碳水化合物高脂肪的食物。多年的饮食恶习开始发挥作用了，因此许多人已经开始对自己分泌的胰岛素不再敏感。胰岛素是一种激素，能促进细胞利用糖分或者以脂肪的形式储存糖，而控制血糖浓度。因此，当身体对胰岛素不再敏感时，就会分泌更多的胰岛素来进行弥补。换句话说，为了应付血糖浓度增高的情况，会强制胰腺的 β 细胞分泌更多的胰岛素来控制血糖浓度。

年复一年，已经出现胰岛素抵抗的人为使血糖浓度恢复正常而需要越来越多的胰岛素。虽然高胰岛素浓度（高胰岛素血症）可以有效地控制血糖浓度，但是也会带来一些严重的问题。也正是 X 综合征的症状：

- 严重的动脉炎症，导致心脏病发作或中风。
- 血压升高(高血压)。
- 甘油三酸酯升高——血液中除胆固醇以外的另一种脂肪。
- HDL(好的)胆固醇降低。
- LDL(不好的)胆固醇升高。
- 血黏度升高，形成血凝块。
- 出现明显的"无法控制"的肥胖——通常出现在身体中段（被称为向心性肥胖）。

当所有 X 综合征的危险因素叠加时，我们患心脏病的风险性已经增加了 20 倍。心脏病是当今头号杀手，所以我们绝对不能忽视任何增加心脏病的因素。

患者患 X 综合征多年以后（甚至有可能是十几二十年），胰腺的 β 细胞耗尽，无法再大量生产胰岛素了。这时，胰岛素浓度就开始下降，而血糖浓度逐渐上升。

刚开始时血糖浓度只是轻微的升高，即糖耐量异常（或称糖尿病潜伏期）。在美国，有 2400 多万人都处于这种糖耐量异常期。在此后一两年之间，如不改变生活习惯，就会出现典型的糖尿病症状。血糖急剧升高并伴有动脉血管的老化。

胰岛素抵抗产生的原因是什么

我们为什么对自己分泌的胰岛素越来越不敏感，对此有着各种各样的解释。但我相信胰岛素抵抗是由我们的饮食习惯所导致的。虽然我们着力于减少脂肪的摄取，但还是那么热爱碳水化合物。许多人并不理解，其实碳水化合物是一些能以不同速度吸收的多糖。白面包、精面粉、意大利面、大米和土豆向血液释放糖的速度甚至比方糖还快。这就是把这种食物称为高升糖指数食物的原因。

而青豆、甘蓝、西红柿、苹果和橙子这样的食物向血液中释放糖的速度要慢得多，因此被认为是低升糖指数食物。

美国人总喜欢吃大量的高升糖指数食物，它们可以使血糖浓度快速升高，刺激胰岛素的分泌。当血糖浓度下降时，我们会感到饥饿。而再去吃上一顿大餐，然后整个过程又会重新开始。一段时间之后，由于胰岛素反复超高，机体就开始对它越来越不敏感。为了能够控制血糖浓度，胰腺必须分泌更多的胰岛素。而增高的胰岛素浓度就会导致与 X 综合征相关的破坏性的代谢改变。

你是否得了 X 综合征

大多数医生不会在血液常规检查时检测患者的胰岛素水平。但你可以用一个简便的方法来判断自己是否得了 X 综合征或者胰岛素抵抗。常规血液检查提供脂肪含量报告，包括总胆固醇、HDL、LDL 和甘油三酸酯的含量。用甘油三酸酯含量除以 HDL 含量，得到的比率就能体现你是否得了 X 综合征。如果比率大于 2，你可能刚开始得 X 综合征，如果你的血压或者腰围已经开始增加，那么这可能意味着你的 X 综合征已经很严重了。假设你的甘油三酸酯含量是 210，而 HDL 含量是 30。那么用 210 除以 30 等于 7。由于这个数据已经明显大于 2，所以你可以认定自己已经有早期胰岛素抵抗或者 X 综合征了。

一旦患者出现胰岛素抵抗，医生就会建议他改变生活习惯，因为这意味着心血管的损伤已经开始了。而医生们应该重视早期胰岛素抵抗的征兆。我们绝对不能等到患者得了典型的糖尿病才开始治疗。

当患者通过改变生活习惯来治疗胰岛素抵抗时，他不仅能够预防动脉血管损伤，还可以预防糖尿病。这才是真正意义上的预防医学。

而医生们治疗糖尿病时过于依赖药物了。大多数医生都赞同调节饮食和合理锻炼对糖尿病患者有帮助，却没花足够的时间去帮助他们理解好习惯才是抵御疾病和各种并发症的好方法。

开处方比教育和敦促患者改变生活习惯容易得多。但即使我们不依赖药物，糖尿病也能够得到更好的控制。高纤维素饮食非常有效，但他们总是假定这些患者通常都不会去改变自己的饮食，所以必须使用药物。

但是在我的从医过程中，绝大多数的患者宁可改变自己的生活习惯也不愿意去吃更多的药物，他们的观念主要取决于医生的态度和方法。当我详细地向患者解释后问他们想怎么办时，90% 以上的患者回答说他们愿意先尝试改变自己的生活习惯。

乔就证明了这种方法的确是有效的。

乔的胜利

乔看到自己的化验结果后非常担心，决定立即改变自己的生活习惯。我让他进行中度的体育锻炼，改用低升糖指数的食谱，并且服用一些抗氧化物质和矿物质营养补充。12 周以后，我复查了乔的血液，发现他的情况出现了惊人的好转：胆固醇含量已经从 250 降到 150，HDL 从 10 增加到 41，而甘油三酸酯含量从 1208 骤减到 102。他的甘油三酸酯/HDL 比率已经从 40 降低到 2.5。乔没服用任何药物就做到了这一点，而且还是在 12 周之内。我和他都为此惊喜不已。

如果你也有着类似的健康问题，你也可以通过同样的生活习惯和饮食调整取得相同的效果。X 综合征及其致命的并发症都是可以被攻克的。

现在让我们来看一下典型的糖尿病以及如何去逆转它带给我们的创伤吧。

糖尿病的诊断和检测

最常见的糖尿病检测技术就是空腹血糖检测。此外还有更敏感的测试，即让患者服用特制的糖水，然后在两个小时后检测患者的血糖浓度。

多数医生认为如果两个小时后血糖浓度高于 190（确定值是高于 200）就可诊断患有糖尿病。两小时血糖浓度正常值应低于 110（确定值低于 130）。空腹血糖浓度略高而且两小时血糖浓度在 130 ~ 190 之间的患者被归为糖耐量异常，即糖尿病前期，而不是典型的糖尿病期。

血糖检测只能显示患者在测定时刻的状态，而糖化血红蛋白 A1 能显示血红细胞中的含糖量（我建议糖尿病或有糖尿病趋势的患者每 4～6 个月做一次这种检测。）由于血红细胞的存活时间大约是 140 天，所以这项检测能显示一段时间内患者的糖尿病是否真正得到了控制。多数化验室认为正常值应该在 3.5～5.7 之间。

糖尿病患者应该将糖化血红蛋白 A1 值严格控制在 6.5% 以下。如果患者能够做到这一点，那么他们出现并发症的可能性就不超过 3%。但是如果该指标一直大于 9%，那么他们出现糖尿病并发症的可能性将激增到 60%。这个发现是惊人的，而美国已接受过治疗的糖尿病患者糖化血红蛋白 A1 平均指标竟然是 9.2%。

当一例典型的糖尿病确诊时，大多数（超过 60%）的患者已经得了严重的心血管疾病。是的，一旦胰岛素抵抗出现，动脉硬化就已经开始急剧加重。这也是应该尽早发现 X 综合征并且鼓励患者改变生活习惯的原因。患者在发展为糖尿病之前会有多年的 X 综合征病史。而等到发展为糖尿病才开始治疗已经太晚了。

肥胖

我们都曾听媒体和医生说过，糖尿病之所以在美国和其他工业化国家中盛行是由于太多的人得了肥胖症，实际上这是本末倒置了。是胰岛素抵抗（X 综合征）导致了向心性肥胖，事实上肥胖正是这种病症的主要症状之一。

向心性肥胖是什么意思呢？这与你的体重分布有关。如果体重均匀分布或者是肢端肥胖（梨形）的话，你需要减肥，却与 X 综合征无关。然而，如果你的腰部附近积聚了大量的赘肉（苹果形），你可能就有麻烦了。

我碰到过许多二三十岁的患者说他们的体重明显超标了。实际上问题在于他们没有改变自己的饮食和运动习惯，所以在过去的两三年中体重就增加了三四十磅。为什么增加得这么快？这是由于患者开始出现了胰岛素抵抗。虽然尝试各种食谱，却减不了多少体重。这些食谱基本上都是高碳水化合物低脂肪的；只会让胰岛素抵抗更加严重。如果不解决胰岛素抵抗，他们根本无法减轻体重。

我建议患者重新调整自己的饮食，改吃低升糖指数、低碳水化合物和含有优质蛋白和脂肪的食物（我将在本章后面详细介绍）。当采用这种食谱并配合适度锻炼及细胞营养时，胰岛素抵抗将得到根本性的好转，患者的体重会神奇地下降，就像它神奇地增长一样。我的患者常常惊讶地发现自己还没减肥体重就已经下降了，而且感觉良好，精力充沛。

请注意，我所说的食谱并非时尚的减肥食谱。减肥食谱指的是在一段时间内减少摄入的食谱（减得越快越好）。相反，我所说的是一种健康的生活方式，它的作用包括减少脂肪。营养治疗的疗程通常是 12 个星期，使患者知道如何把这些原则与他们喜欢吃的食物结合在一起。减轻体重并不是目的，消除胰岛素抵抗才是关键。

糖尿病的治疗

所有的医生都认同应该先给患者一个机会，鼓励他们有效地改变自己的生活方式。但许多医生只是口头说一下应该如何改变，实际上还是依赖于使用药物。

如果我们真的要减少糖尿病发病率，并帮助现有的糖尿病患者控制病情，以下两点是必须要做到的。首先，更加关注胰岛素抵抗，这是绝大多数 II 型糖尿病的病因，而且不能仅仅着眼于治疗血糖浓度。其次，应积极鼓励人们改变生活方式来增加胰岛素敏感度。药物只应作为治疗 II 型糖尿病的最终措施。

医生们选错了对手

在梅约医院的一篇评论性文章中，詹姆斯·奥凯佛医生说道："现在治疗糖尿病患者的努力都集中在调节血糖浓度上面，而往往忽视了由胰岛素抵抗这一根本原因所导致的可逆转的危险。"

这也是 80% 的糖尿病患者仍会死于心血管疾病的部分原因。我认为治疗大多数糖尿病的根本原因是解决胰岛素抵抗。

健康生活方式详解

治疗糖尿病和胰岛素抵抗所要做出的生活方式上的调整是非常简单的。其实适当的运动、饮食时不使血糖骤升，并且服用营养补充剂就能改善患者对自己分泌的胰岛素的敏感度。正如乔那样，效果会非常明显。

让我们来分析一下这三种改变是如何扭转胰岛素抵抗的吧。

饮食

许多医生向糖尿病患者推荐的食谱严重有误。由于患者最大的危险是心血管疾病，所以美国糖尿病协会（ADA）主要关心食谱中的脂肪含量。

在过去的 35 年中，糖尿病患者忠实地遵循着 ADA 建议的食谱。20 世纪 70 年代中期，有 80% 的糖尿病患者死于心血管疾病。而在 21 世纪里，仍有 80% 的糖尿病患者死于心血管疾病。难道这还不足以引起我们的警觉，重新审视我们的做法吗？

一旦意识到我们需要解决的根本问题是胰岛素抵抗，那么就会明白碳水化合物才是真正的危险。这与那些相信"碳水化合物只是碳水化合物"而来源无关紧要的营养师们的看法是完全相反的。他们的看法完全忽视了血糖指数（即身体以何种速度吸收各种碳水化合物并转化为单糖）。

大量研究显示，一些碳水化合物能够比其他食物更快地释放糖分。碳水化合物的组成越复杂（指那些含有大量纤维的碳水化合物），释放糖分的速度就越慢，例如豆类、花椰菜、甘蓝和苹果等。在吃了一餐均衡的含有这些低升糖指数的碳水化合物和优质蛋白及优质脂肪的食物后，我们的血糖浓度不会激增。这对控制糖尿病极为关键。

哈佛医学院营养及预防医学部主管华尔特·维里特医生在他编著的《饮食与健康》一书中提议应该重新审视美国卫生部推荐的食物金字塔结构。他建议最底层应该是低升糖碳水化合物，而高升糖指数食物（白面包、精面粉、意大利面、大米和土豆）都应与糖分一样处于食物金字塔的顶部。

每个人都知道糖对糖尿病患者的危害。但是很少有人意识到高升糖指数食物提升血糖的速度甚至比吃糖更快。当我最终说服患者改吃低升糖指数碳水化合物并且搭配食用优质蛋白及脂肪后，糖尿病明显得到控制，而且对自己的胰岛素更加敏感。

基本食谱指导

下面要介绍的是优质脂肪、蛋白质和碳水化合物。当你每餐都将它们搭配食用的话，那么血糖浓度就不会跃升到需要控制的危险水平。

优质蛋白质和脂肪来自蔬菜和菜油。鳄梨、橄榄油、坚果、豆类、酱油等都是获取蛋白质的最佳来源，同时还含有能降低胆固醇的脂肪。

最好的碳水化合物来自新鲜完整的水果和蔬菜。尽量不要吃处理过的食物。苹果要比苹果汁好，整粒的谷物也是必需的，而且少吃处理过的谷物对于任何人的健康饮食都是非常重要的。

另一种优质蛋白质和脂肪来自鱼类。冷水鱼类中的鲭鱼、金枪鱼、鲑鱼和沙丁鱼含有 omega－3 脂肪酸。它不仅能够降低胆固醇含量，而且能从总体水平减少身体中的炎症。

优质蛋白质还来自家禽。因为这些家禽的脂肪分布在肉的表面而非分散在肉中。只要把肉表皮含饱和脂肪的皮剥去，就可以得到不大含有脂肪的纯蛋白食物。

最差的脂肪和蛋白质来自红肉和蛋奶制品。如果你要吃红肉，至少应该吃最瘦的部分。应该避免吃除了低脂干酪、牛奶和蛋白以外的蛋奶制品。如果你要吃鸡蛋，就应该挑选那些散养的含有 omega-3 脂肪酸的鸡蛋。

我们可能会吃到的一些**最差的脂肪**就是所谓反式脂肪酸。这些脂肪被称为腐败的脂肪，因为它们对身体非常有害。购物的时候一定要随时注意食品标签，如果有类似"部分氢化"的成分——不要购买。

这些就是我对糖尿病患者和 X 综合征的患者提供的基本饮食指导。我无法在本书详细介绍食谱。对于那些对食谱和 X 综合征感兴趣的人，我推荐以下两本书：吉尼和乔依斯·道斯特编著的《40－30－30 燃脂营养学》

和巴里·西尔斯编著的《区控饮食一周》。这些通俗易懂的书籍建议我们在每一餐中都应按照碳水化合物 40%、蛋白质 30% 和脂肪 30% 的比例来搭配这些营养成分。我在实践中更倾向于采用 50∶25∶25 的比例，不过基本原理一致。

这不是像阿特金斯食谱那样的高蛋白减肥餐，而是能持续一生的食谱。如果每个人都如此饮食，同时坚持锻炼并服用一些营养补充剂，那么糖尿病将不再流行。

当你采用这种饮食方式的时候，你的身体将不会加速释放胰岛素，反而会加速释放一种名为胰高血糖素的拮抗激素。它可以利用脂肪、降低血压、减少甘油三酸酯和 LDL 并且增加 HDL。

锻炼

适度的锻炼对我们的健康好处极大。而对于 X 综合征和糖尿病患者尤为重要。研究显示锻炼可以明显提高患者对自身胰岛素的敏感程度，因此也是营养师向糖尿病和胰岛素抵抗的患者建议的需改变的生活方式中的重要部分。

锻炼计划应该结合有氧运动和负重锻炼，至少每周 3 次，但不超过 5～6 次。重要的是参加自己喜欢的锻炼活动。没有谁必须成为一名马拉松运动员，即便是每周 3 次，每次三四十分钟的快走也能收到显著的成效。

营养补充

临床试验发现糖尿病潜伏期即糖耐量异常期的患者体内氧化应激明显增高。他们的抗氧化防御系统往往较弱。另一些研究显示糖尿病并发症患者，例如视网膜（糖尿病造成的眼底血管损伤，有可能导致失明）和心血管疾病患者体内的氧化应激更高。故推断采用传统治疗方法的同时补充抗氧化物质可能减少并发症。

研究显示，所有的抗氧化物质都有可能改善胰岛素抵抗症状。重要的是糖尿病患者应该混合服用多种大剂量抗氧化物质——而不是所谓的 RDA 剂量。我发现，潜伏期和典型糖尿病患者往往缺少以下几种微量营养成分：

铬是葡萄糖代谢和胰岛素工作中的关键成分，但研究显示，90%以上的美国人体内都缺乏铬。铬能明显提高胰岛素敏感度，特别是对于那些缺乏这种矿物质的人而言。糖尿病和 X 综合征患者每天应该补充 300 毫克的铬。

维生素 E 不仅能提高抗氧化防御能力，而且可以克服胰岛素抵抗。研究显示，维生素 E 水平低下是 II 型糖尿病的一个独立预测指标。

I 型糖尿病、II 型糖尿病和糖尿病患者视网膜病变的可能性增大均与缺镁有关。研究显示当成年人补充镁的时候，胰岛素功能会明显改善。

然而，诊断患者是否缺镁非常困难。通常的血清镁含量检测只是一种衡量体内总体镁含量的手段。细胞层的镁含量会更加敏感和准确；但是只有实验室才能做这种检查，因此很难检测是否缺镁。

钒是一种不为人熟知的矿物质，但它对糖尿病患者非常重要。补充钒可以明显提高胰岛素敏感度。糖尿病患者每天应该补充 50 ~ 100 毫克的钒。

我惊讶地发现愿意改变饮食习惯、加强锻炼并且服用关键的矿物质和抗氧化营养补充剂的患者，在改善身体胰岛素敏感度方面取得了极大功效。

如果你正在与糖尿病作斗争，那么你是否愿意为了摆脱对药物的依赖，同时过上更好的生活而去改变一下自己的生活方式呢？要记住，控制自己的糖尿病病情至少要将糖化血红蛋白 A1 指标保持在 6.5 以下。单靠药物很难做到这点，必须调整生活方式。初始期，应该密切注意自己的血糖浓度，如果血糖浓度下降太快，你应该咨询一下医生是否应该调整一下你的用药。

糖尿病已经发展成流行病了。虽然我们已经花了无数的金钱，但是收效甚微。我们都必须改变目标，应该治疗胰岛素抵抗，而不是升高的血糖浓度。当出现甘油三酸酯增高，并且伴随着 HDL 下降、高血压或者异常增重时，我们应该意识到可能得了 X 综合征，而且心血管损伤可能已经开始了。

我们应该积极地治疗胰岛素抵抗本身，而不是仅仅治疗由胰岛素抵抗所带来的各种疾病。不可思议的是，如此简单的生活方式的改变竟然可以带来近乎奇迹的效果：糖尿病消失了。

第十三章

慢性疲劳症与纤维肌痛

"**我**总是觉得很累，而且精力难以集中。我记不得上次感觉良好是什么时候了，而且什么毛病都会有。也许是我的甲状腺出问题了吧？我很多亲属有甲状腺疾病。"

你碰到过这些情况吗？他们都为这种难以改善的状况失望不已。在我行医的 30 多年间，这就是我最常听到的不适。

在询问病情时，医生通常问："你哪不舒服？有没有其他症状？"然后我们马上在脑海中搜索相关知识，试着去找出患者是否有头疼、胸闷或者腹泻等症状。患者往往会否认所有问题然后叹一口气说："我只是很累，完全没有任何精力。"

当医生们碰到这种情况时，通常会建议患者做彻底的身体检查，包括综合性的生化检查。等患者下一次来的时候，医生又要重复一遍他的主张，然后检查一下患者病史和家族史。仔细研究实验室数据，偶然会发现甲状腺机能衰退、糖尿病、贫血，或者其他可能导致这些疲劳症状的证据。但是绝大多数情况下，他无法找出任何足以解释患者如此疲劳的原因。

这时，多数医生都会询问患者最近是否压力过大或者有抑郁的症状。患者意识到医生没有找出任何不妥的地方。而医生可能私下里认为实际上是患者出现了心理方面的问题。当然，医生并不会直接告诉患者，但是没有说出来的真实想法往往会通过生硬的语调和肢体语言表达出来。

医生希望帮助患者，而他们认为要做到这一点，只有找出患者得了什么病，然后开出处方给予治疗才行。当他们无法查出患者究竟得了什么病的时候，就会感到不安，并且心理压力增大，希望能做出什么解释或采取什么措施来使患者感觉好受一点。医生可能不得不结束这次谈话说："嗯，你的健康状况还不错——我找不出任何问题来解释你的症状。你再等一下吧，看看是否会有好转。"

如果遇到这种情况，你只能沮丧地转身离开诊室了。毫无疑问，你的健康状况肯定不好，而医生又查不出任何问题，甚至连你自己也怀疑这是否真的完全是心理问题了。

你可能按照医生的建议等了一段时间，这期间尽量照顾好自己。但是你的情况一如既往，而且既没有改善也没有恶化。怎么办？你是否想听听其他人的意见呢？如果你去找了别的医生，他很可能还是找不出任何问题。你开始对我们的医疗系统猜疑并感到失望。

一方面你很高兴没被查出什么严重的疾病；但是另一方面你也很愤怒，因为没有人能给出什么答案。事实上你会开始感到烦恼并担心情况会恶化。这时，一个好友或者家人告诉你有一个非主流医疗从业者可以帮助你解决这种问题。

非主流疗法

放弃从医学界寻找解决办法的想法后，你决定寻找一种天然的途径，那就是非主流疗法，因为主流医学已经无能为力了。让你惊讶的是，非主流疗法从业者马上就找到了问题。他可能会声称你得了"全身性酵母菌感染""内脏渗漏综合征"或者"亚临床甲状腺机能减退"等。

非主流疗法从业者通常会通过检查毛发、眼睛、血液、尿液或者肌肉来判断你到底需要什么。然后他们往往会推荐你采用某些草药疗法、清肠法、改变食谱和补充营养来治疗已确诊的问题。

你打心底松了口气并且重新燃起希望，因为终于有人理解你，并为这种疲惫做出了一种解释，即使这种诊断并不完全正确。虽然你的健康可能会因为生活方式的改变而有所改善，但是你仍然"不在状态"，这就是原因所在。

非主流疗法着重于找出你缺乏哪些营养成分，然后改善它们。但是他们没有改善根本的原因——氧化应激。你很有可能仍然感觉沮丧，不得不继续寻找其他方法。

本书中我已经介绍过的那些非常严重的疾病都是由于长期超负荷的氧化应激导致的。人们没有意识到这种持续性的疲劳与那些严重的疾病一样，是由于同一原因。

你不会在某天起床的时候突然发现自己得了慢性疲劳症或者纤维肌痛。那些感觉不适的患者来找我，说他们感到疲劳、反复感染、睡眠不足、焦虑而且抑郁，并且还有早期衰老。当我看到他的脸的时候就基本可以判断他是否被氧化应激侵害了。他的脸色发灰，看起来毫无活力、不太健康。

如果不能有效地解决根本问题，那么患者很可能患上慢性疲劳症、纤维肌痛，或者其他更严重的退行性疾病。

我不再告诉那些疲劳的患者："我没发现你有任何毛病。"而是尽可能人性化地鼓励他们去检查生活方式、居住环境、压力水平是否正常。他们是否处在过多的毒素中？例如二手烟、除草剂、除虫剂和空气污染物等。我鼓励他们要正常休息、有规律地锻炼身体和采用健康的食谱，清除导致氧化应激增大的原因，并服用强效的抗氧化剂、矿物质和一些葡萄籽精华素，坚持 4~6 个星期之后再回来复诊。

与非主流疗法从业者不同，我关注的是这些症状的根本原因。我不需要他们做那些昂贵的检测（其中大多数已被证明并不准确），因为我要改变的并不是某种营养成分缺乏的问题——而是氧化应激的根本来源。相反，我会试着给细胞提供最佳剂量的所有微量营养成分。细胞会决定它自己需要哪些，不需要哪些。

同医学界看法相同，我也发现通过细胞营养使氧化应激得到控制才是重获健康的最佳方法。通过这种方式，我的绝大多数的患者都恢复了正常生活。

随访也是非常重要的。有那么多患者回来复诊时表示自己又重获健康，看到这一点，我感觉非常惊喜。他们的好转经常是戏剧化的，这在他们的脸上和肤色上体现得尤为明显。

慢性疲劳的根本原因

慢性疲劳症与纤维肌痛都是很具破坏性的可致残类疾病，医学界对这些疾病看法不一。慢性疲劳症患者极度疲乏，常发生喉咙痛、淋巴结肿大和发烧；纤维肌痛患者也同样疲乏且全身疼痛。我相信它们的病因都是氧化应激。

纤维肌痛曾被称为心理性风湿病。事实上，许多医生现在仍然相信这种疾病的根源在于患者的精神问题。传统医疗只能提供一些缓解症状的药物：如非甾体抗炎药、肌肉松弛剂、抗抑郁剂和帮助睡眠的药物。医生们还会建议患者参加互助小组，告诉他们应该习惯于适应它的存在。

让我们仔细研究一下这些疾病，看看有没有更好的治疗方法吧。

仅在美国就有大约 800 万人承受着纤维肌痛的折磨——其中每 9 个人中就有 8 个女性。你可能会感到奇怪：性别与这种疾病有关吗？也许。统计数据显示这些妇女一般都是比较敏感的完美主义者。

患者总是活在痛苦中，他们极度疲乏、失眠，醒来的时候全身僵硬、精神混乱，而且许多人都有肠胃问题和颞颌关节症状，往往导致严重的颌部疼痛和头痛。

大多数纤维肌痛患者来到我的诊室时都提着一堆不同的医生给出的医疗记录，因为确诊纤维肌痛平均要花 7~8 年的时间！他们已经被从头到脚地检查过了，却找不到任何异常。唯一能判断患者是否得了纤维肌痛的办法就是在 18 个特定区域做压痛点测试。如果其中 11 个或更多的区域只要轻微压迫就能感到明显疼痛的话，就能确诊患者得了纤维肌痛。

绝大多数纤维肌痛都是在某次严重的疾病、重大的外伤（尤其是颈部）或者生活中压力过大后出现的。是的，这些情况可以使机体产生的自由基大量增加。这种疾病一旦发生，就会永无休止。患者可能偶尔会有一天感觉良好，但是却很难保持长久。而且如果某一天劳动过多，包括体育锻炼过多，患者就可能觉得压力过大或者病得更重，而且接下去的 2~3 个星期内都会感觉极度疲劳。

一旦我确诊了一例纤维肌痛或者慢性疲劳症，我就会把注意力集中在控制氧化应激上。当然，我可以通过第十五章详细介绍细胞营养来很好地实现这一目标。我还强烈建议患者采用健康食谱，同时进行轻度锻炼。我总是提醒他们不要连续两天进行锻炼，而应该将轻度的有氧锻炼和轻度的负重运动结合练习。

要记住，这是一种慢性的可能持续一生的疾病，所以要想恢复健康需要些时间。我告诉患者可能要花至少6个月才能有所好转。他们不一定在这段时间内恢复到自己预期的程度，但最起码会有所好转。

一旦患者深信自己正在好转，就会变得非常兴奋。

患者最先注意到的胜利就是不再出现"精神混乱"了。他们现在更容易思考并集中精力工作了。然后，他们的睡眠状况也逐渐改善。他现在能够更舒适地睡眠而且感觉精力明显增加。最后改善的症状通常都是疼痛开始减轻。

我的纤维肌痛患者有70%～75%都以这种方式最终取得了明显的疗效。在过去7年中已经有上千名纤维肌痛患者按照我的营养计划获得了明显好转。

我相信如果某个患者应用这种治疗方法效果不理想的话，原因就在于我们无法仅通过口服的营养补充方式来控制氧化应激。这时我会建议患者通过静脉注射的方式补充营养，好转后再改为口服方式。

要知道，这些患者其实仍然患有纤维肌痛或者慢性疲劳症。我提供的并不是治愈的方法。我的目的是要让患者能够控制自己的疾病，而不是让疾病来控制他们。这些年来，许多患者逐渐好转并对未来充满信心。

人们越来越多地求助于非主流疗法为医疗界敲响了警钟。人们对自己支付的医疗保险系统已经越来越感到失望。所以他们不断地求助于非主流疗法来解决问题，即使他们不得不另外出钱。简单地说，人们只是因为不适和疲劳而感到烦恼。虽然医生还在大量地开着抗抑郁剂，但是非主流疗法却仍然在美国和全世界盛行着。

为什么呢？也许人们并不像医生们以为的那样热爱药物，患者们需要药物以外的解决办法。

医生们应该意识到自己必须对那么多患者转而求助于非主流疗法这一现象负责。是医生让患者感到失望而求助于其他疗法。毕竟，他们大多都先去找过医生。现在多数医生都认同健康饮食和合理锻炼的好处。但是他们并不完全认同或者了解氧化应激的作用。

第三部分

营养药物

第十四章

营养补充剂的安全性

回想起早年从医的经历，我还清楚地记得当时对待营养补充剂的态度，所以我能理解那些同样持有偏见的医生们。

我记得自己曾经告诉患者只要按健康食谱饮食就能从食物中获得他们所需要的一切。"你只要去附近的商店买适当的食物就可以了，用不着吃那些补品，"我会坚持说，"吃维生素只是浪费钱。"

如果这样还不能劝服他们，我就会告诉他们一两个能证明维生素有害的研究结果。我还记得当一些业外媒体或医学杂志刊登这些负面研究报告时，我就会对自己说："看吧，你对这些维生素的看法一直都是正确的。那些吹牛的家伙向我的患者散布这些谣言真是可耻。"

让我改变对维生素的看法的原因之一就是我们的饮食质量。

典型的美国饮食

过去我一直都在快餐店就餐。我吃巨无霸、炸薯条、可乐——还是加大的，甚至还会吃一个热苹果派。不过这已经是许多年前的事了。

虽然我们都知道快餐是补充能量的最差的方式，但还是在炸食品的油锅旁边排着队，等着拿我们辛苦赚来的钱去买那些损害我们健康的食物。

朋友，知道和去做完全是两码事。

典型的美国饮食中有将近40%的卡路里来自于脂肪，而且多数是饱和脂肪（坏东西）。1997年9月的《儿科》医学杂志报道说，美国仅有1%的儿童饮食符合RDA必需营养标准。孩子们不仅没有获得身体发育所必需的营养成分，而且在童年时期养成的不良饮食习惯往往会延续到成年以后。让我惊讶的是那么多青少年已经出现了典型的胰岛素抵抗。

第二次全美健康和营养调查对1200名美国成年人和他们的饮食习惯作了评估。下面就是其中的一些发现：

- 有17%的人完全不吃任何蔬菜。
- 除了土豆和沙拉以外50%的人不吃任何蔬菜。换句话说，只有一半人会吃田园蔬菜。
- 只有41%的人吃水果或者喝果汁。
- 只有10%的人按照USDA的建议每天至少吃5份的水果和蔬菜。在非裔美国人中，只有5%达到建议数量。

虽然医生和营养师们都建议我们每天多吃水果和蔬菜，但是我们却远没有做到。调查显示，如果不算炸薯条和烤土豆的话，半数以上的人实际上没有吃任何蔬菜。更糟的是，大约60%的人不吃任何水果。虽然美国人懂得不少，但是他们并没有健康饮食。

现在已经有50%以上的人体重明显超重，这难道不让人担心吗？将这些不良的饮食习惯与我们讨论过的高升糖指数食物联系到一起，胰岛素抵抗和糖尿病在美国盛行就不足为奇了。如果你出去锻炼两个星期而且坚持不吃任何白面包、精面粉、意大利面、大米和土豆的话，你就会明白为什么那么多人（超过8000万美国人）患有被称为X综合征的胰岛素抵抗了。

美国的食物质量

过去的半个世纪里，地球上没有任何国家生产的食品种类比美国丰富。但是当站在健康的角度来考虑食品的质量时，就不得不担心了。当今生产和储存流程严重影响食品质量。莱克斯·毕池在向美国参议院提交的报告中写道：

> 现在我们多数人都受着某种危险的饮食匮乏的影响，除非生产这
> 些食物的土壤中的矿物质恢复平衡，否则问题是无法解决的。我们的
> 食物——水果、蔬菜和谷物——是在数千万英亩已经缺乏足够的矿物
> 质的土壤中生长的，不论我们吃多少都是缺乏营养的。

毕池在 1936 年发表这个声明。而 70 年后，我们国家贫瘠的土壤并没
有改善。事实上现在的情况比当时更糟糕。要达到最佳健康水平，五大矿
物质（钙、镁、氯化物、磷和钾）和 6 种以上微量矿物质是必需的。农作
物不会合成矿物质，它们必须从土壤中摄取。如果土壤中没有，那么农作
物也不会含有这些矿物质。

的确没有。因为含有这些矿物质的有机肥料价格昂贵而且很难搞到。
农民使用那些仅含氮、磷和钾（简称 NPK）的肥料来降低成本。而且使用
这些 NPK 肥料就可以种出长得很好看的谷物和产品，但是这些农产品仍然
缺乏其他必需的矿物质。而美国农业发展的动力是经济，所以农民们更加
关心的是每亩单产而不是他们收获的食物的营养成分。

杂交的谷物、蔬菜和水果现在非常流行。杂交作物追求的是个大味
美，而且能够更好地抵御疾病。但是杂交作物中的营养成分却明显地低于
它们的天然表亲。农民收入与每亩单产挂钩，与产品质量无关。农业已经
成为一个薄利并且受政治因素左右的产业。虽然我们需要营养，但是农民
们的底线是维持生计，而杂交作物能帮助他们解决问题。

我们的食品行业通过特殊的运输和储存技术，可以一年四季供应各种
各样的水果和蔬菜。品种的确很丰富，但是要做到这一点是有代价的。我
们没等水果和蔬菜成熟就进行采摘，采用冷藏和其他保存手段进行长途运
输，但是这会导致维生素等营养物质流失。我们的食物还经过了高度加
工，例如把面粉加工为白面包的过程就能丢掉 23 种以上的必需营养成分，
其中最重要的是镁。于是食品行业在面包中补充大约 8 种营养成分，然后
称之为"富含营养素"。

你知道吗？

- 在生产精面粉的过程中，我们去除谷物外部的胚芽，损失了

　　　　　大约 80% 的镁。

- 在处理肉类时我们损失了 50%～70% 的维生素 B_6。
- 冷藏会损失橘子中 50% 的维生素 C。
- 芦笋储存一周后就会损失 90% 的维生素 C。

　　刚购买的食物就明显缺少重要的营养成分，而我们的烹饪方式——过度蒸煮、食用不新鲜的食物和冷冻食物都将导致食物营养成分进一步流失。例如：

- 新鲜的沙拉和切开的蔬菜、水果如果 3 小时不吃就会损失 40%～50% 的营养成分。
- 过热、过冷和长时间存放都会破坏维生素 C。
- 烹调食物的过程会损耗叶酸。
- 冷冻肉类可以丢失 50% 以上的 B 族维生素。

　　我们的土壤本身就缺乏营养，NPK 肥料使之更糟。然后杂交作物又生产出缺乏营养的食物。现代的加工和存储方式又使食物的质量进一步下降。我们把这些食物买回家后，在储存和烹调的过程中继续破坏它们的营养。这些都是我们应该在饮食之余服用高品质营养补充剂的有力论据。

　　然而这并不是我建议人们补充营养的根本原因。除这些情况危害我们的健康外，我们还对营养理解有偏差，须重新思考 RDA——每日推荐用量——的意义。

每日最佳用量与推荐用量

　　首先，你必须了解什么是每日推荐用量，即 RDA 标准。那是预防 10 种必需营养成分不足导致相关疾病而规定的最低营养标准，在 20 世纪 20 年代初到 30 年代中期建立的。这些疾病包括头皮屑（缺乏维生素 C）、佝偻症（缺乏维生素 D）和糙皮病（缺乏烟酸）等。

　　换句话说，假如你摄取了符合 RDA 标准的维生素 C、维生素 D 和烟酸，你就不会得这些疾病。

诚然，RDA 已经完成了它的使命。在我从业的 30 多年中，我从来没有碰到过一例这样的疾病，甚至疾病控制中心也无法再找到这些疾病了。

RDA 中列出的营养成分在此后的 20 年中逐渐扩增，到了 20 世纪 50 年代初期，RDA 的定义已经延伸为包括正常成长和发育所需要的营养成分的数量。

RDA 确实很有帮助，但是多数医生和外行人还是给 RDA 标准加上了它本不该有的含义。这是因为美国政府要求所有食物和营养补充品的标签上都要按照 RDA 标准注明百分比。但是通过 7 年来对营养补充剂和它们对慢性退行性疾病功效的了解，我相信 RDA 标准与慢性退行性疾病毫无关系。

正是这一因素让人们对营养补充剂产生了诸多误解。医生们接受的培训使他们相信 RDA 标准就是身体保持最佳健康状态所需的营养标准。我想这种错误的假设就是医生、注册营养师、营养学专家和保健行业那么排斥营养补充的主要原因了。

当你翻阅医学杂志查找关于氧化应激和预防它需要的营养成分剂量后，会发现该剂量远远大于 RDA 标准。维生素 E 就是一个很好的例子。它的每日推荐用量是 10 个国际单位，在特定情况下可以提高到 30 个国际单位。

美国食谱中平均含有 8 ~ 10 个国际单位。按照医学杂志的指标，如果你每天不补充至少 100 个国际单位的话，就看不到任何疗效。如果提高到每天 400 个国际单位或更多的话，疗效看上去还会更好（多数了解营养补充的医生都会同意我们每天必须摄取至少 400 个国际单位的维生素 E）。

RDA 建议的维生素 C 标准是 60 毫克，虽然过去几年中我们一直建议应该把它增加到每天 200 毫克。而医学界指出，要达到更好的效果，机体每天至少需要 1000 毫克的维生素 C。如果我们增加到 2000 毫克的话，效果会更明显。

我将介绍所有主要的营养成分并列出医学界认为能提供健康帮助的最佳剂量。这些都与 RDA 完全无关。我要再说一次，每日推荐用量与慢性退行性疾病完全无关。

下页表可以告诉你每天需要吃多少东西才能达到这些最佳营养剂量：

达到最佳营养剂量所需的食物量

维生素 E（450 个国际单位）

- 33 棵菠菜。
- 27 磅黄油。
- 80 个中等大小的鳄梨。
- 80 个芒果。
- 2 磅葵花子。
- 23 杯麦芽。
- 1.5 夸脱玉米油（约 1.5 升）。

维生素 D（600 个国际单位）

- 22 个大蛋黄。
- 6 杯强化牛奶。
- 30 汤勺人造黄油。
- 15 盎司虾（约 425 克）。

维生素 C（1300 毫克）

- 17 个中等大小的奇异果。
- 16 个中等大小的橙子。
- 160 个中等大小的苹果（包括苹果皮）。
- 10.5 杯新鲜橙汁。
- 16 杯生切椰菜。

叶酸（1 毫克）

- 3.8 杯炒芦笋。

- 4 杯黑豆。
- 20 个中等大小的橙子。
- 10 杯芽甘蓝。
- 3.8 杯炒菠菜。

维生素 B$_6$（27 毫克）

- 41 个中等大小的香蕉。
- 38 个中等大小的带皮烤土豆。
- 77 杯小扁豆。
- 15 磅鸡胸肉（约 6804 克）。
- 18 杯麦芽。

核黄素（27 毫克）

- 22 盎司牛肝（约 623 克）。
- 16 杯低脂酸奶。
- 9 打鸡蛋。
- 3.25 加仑低脂牛奶（约 14.77 升）。
- 64 杯炒菠菜。

维生素 B$_1$（27 毫克）

- 135 杯糙米。
- 2 磅火腿（约 907 克）。
- 3 磅葵花子（约 1361 克）。
- 64 杯青豌豆。
- 12 杯麦芽。

　　我们完全无法通过食物来获得最佳剂量的营养，只能在食物之外额外补充。

　　你也许会长嘘一口气，心想，噢，我没问题，我在吃复合维生素片。不过单靠复合维生素片也不能帮助你预防退行性疾病。因为它们基本上都是按照 RDA 标准配置的。患者很难只靠复合维生素片就取得疗效。要想预防或者减缓慢性退行性疾病，必须服用更大剂量的高品质抗氧化剂。

　　显然，下一个问题是这样使用营养补充剂是否安全？当我还不相信营养补充的时候，我经常与患者讨论这种危险性。到底有没有危险呢？当然有。我们应该对此问题详细分析一下。

营养补充剂的安全性

在整本书中，我都在强调营养补充剂在预防和减缓退行性疾病发展方面的功效。要达到这一目的，我们必须终身服用它们，而且剂量远高于RDA标准。那么这些营养成分是否完全没有不良反应，如此大的剂量是否安全？

抗氧化剂在正确服用的情况下当然是安全的。营养补充只是我们从食物中可以获取的营养，只不过剂量要高于正常饮食所能提供的标准。

医生们每开一种药，特别是用于治疗慢性病的药时，他必须向患者解释使用这种药物可能带来的危险。布鲁斯·彭木兰医生在1998年4月15日的《美国医学会杂志》中说道："我们开药每年都导致10多万人死亡。"他还指出另外有210万患者由于服用药物而出现了并发症，而营养补充剂没有这种危险。

我在另外一本著作——《夺命药方》中，解释了药物与生俱来的危险性和判断药物潜在副作用方面的缺陷。通过那本书，你会学到通俗易懂的原则和实用的避免药物副作用的方法。

处方药所致死亡是美国第四大死亡原因，医生们，是时候面对这一重大问题了。医学专家们倡议并努力降低心脏病、中风和癌症的风险。但是为什么我们不愿意讨论如何帮助患者减少我们所开的药物造成的危险呢？

在过去的几年中，只有极少的死亡与营养补充有关。而且患者服用的剂量都比本书中推荐的剂量高出许多倍。其他报告则与儿童偶然过量误服有关。

不用说，我们必须认识到如果特别大量地服用，营养补充剂也会有不良反应。

让我们来看一下每种营养成分的主要不良反应。

维生素 A

过量服用维生素A的情况最为严重。成年人长期每天服用超过50000

个国际单位的维生素 A 就会中毒。如果患者有肝病的话，长期低剂量服用也可能中毒。

症状包括皮肤发干、指甲脆、脱发、齿龈炎、厌食、恶心、疲劳和易怒。

儿童一次误服大剂量的维生素 A（100000～300000 个国际单位）会中毒。症状包括由于颅内压升高而导致头痛、呕吐和昏迷。《美国医学会杂志》2002 年 1 月 2 日报道了一项试验结果显示维生素 A 对正常的骨骼功能有害，会增加髋骨骨折的可能性。

妇女怀孕期间不应补充维生素 A。即使 5000～10000 个国际单位的剂量也能导致新生儿缺陷。

我从不建议直接补充维生素 A。我们只要服用 β - 胡萝卜素和混合的类胡萝卜素就可以获得足够的维生素 A。机体在需要时会把 β - 胡萝卜素转换成维生素 A，这完全不会中毒。

β - 胡萝卜素

过去几年中，β - 胡萝卜素已经被大剂量地使用，而且没有一例不良反应的报告。但有些人会得胡萝卜素黄皮症而皮肤发黄，但这是良性的，而且只要减少或停用 β - 胡萝卜素就可以恢复。

维生素 E

维生素 E 是一种可溶性维生素，安全性高，每天应用 3200 个国际单位临床试验未显示任何副作用。

还有一些试验证明维生素 E 可以抑制血小板凝集，可以像阿司匹林那样防止凝血。这种特性有助于减少心脏疾病。研究者们相信维生素 E 可以在治疗心脏病时增强阿司匹林的药效。

维生素 C

服用非常大剂量的维生素 C 也是安全的，不过有些人可能会出现腹胀、排气或者腹泻等症状。曾经有人提出补充维生素 C 会增加肾结石的风险性。只有一次临床试验得出这个结论，而在最新的四次相似临床试验中未得到证实。

维生素 D

维生素 D 最有可能导致中毒。我们建议服用维生素 D 不要超过 1500 个国际单位。通常我建议患者每天服用剂量不超过 800 个国际单位。其不良反应包括增加血液钙含量并导致钙沉积在体内器官中，从而增加结石的风险性。

有趣的是，《新英格兰医学杂志》最近刊登的研究证明波士顿 93% 的居民都缺乏维生素 D——包括那些服用复合维生素片的人。另外一些研究也表明 RDA 的维生素 D 标准太低了（200 个国际单位），患者们需要摄取 500 ~ 800 个国际单位的维生素 D，这也是最佳的剂量。我们认为只要在安全的剂量范围内服用，维生素 D 仍然是无害的。

烟酸（维生素 B₃）

大剂量服用烟酸可导致皮肤潮红、恶心和肝脏损伤。临床研究显示烟酸缓释片可以减少皮肤潮红的症状，但是可能会增加肝脏损伤。

许多人服用大剂量烟酸来降低胆固醇。把烟酸作为药物服用应该遵从医嘱。第十五章中建议的烟酸剂量是非常安全的。我们现在还将烟酸与降胆固醇药物同时使用，这样降胆固醇的效果会更加明显。

维生素 B₆

维生素 B₆ 是极少数有可能中毒的水溶性维生素之一。大于 2000 毫克可导致神经中毒的症状。但是每天 50 ~ 100 毫克的剂量尚无中毒记录。大剂量使用维生素 B₆ 一定要小心。

叶酸

服用叶酸可以掩盖维生素 B₁₂ 不足的症状，因此人们服用叶酸的时候应该同时服用维生素 B_{12}。至今尚无关于叶酸的不良反应报告，即使增大至每天 5 克。

胆碱

胆碱的耐受性非常高，虽然超大剂量（每天 20 克）时可产生一种鱼腥臭并导致一些恶心、腹泻和腹痛的症状。

钙

人们能耐受的补钙剂量高达 2000 毫克。曾经有人担心大量补钙会增加肾结石的风险性，但是最近的一次试验显示大剂量的补钙实际上可以降低患肾结石的风险。

换句话说，服钙最多的人得肾结石的可能性最低。

碘

服用碘的剂量大于 750 毫克时可以促进甲状腺分泌。研究结果表明大量补碘可以使皮肤出现许多粉刺状的丘疹。

铁

补铁——特别是无机铁——现在已经引起了人们的担心。美国人基本上铁含量都已经足够了，继续补铁可能会造成铁质过多，有可能增加男性患心脏病的危险。

还有一些人怀疑补铁可能会增加氧化应激。

镁

补充镁是非常安全的，虽然有报道称人们可能会因为环境因素出现镁中毒的现象。这通常见于挖掘镁矿或暴露在含有大量镁的环境中的人群。这些人可能出现幻觉并且变得急躁易怒。

钼

钼是很安全的。但是每日服用剂量大于 10～15 毫克时，可能会出现类似痛风的症状。

硒

一些临床试验显示每天服用硒 400～500 毫克是安全的。但是我推荐补硒的剂量不应该超过每天 300 毫克。硒中毒的症状包括抑郁、急躁、恶心、呕吐和脱发。

补充维生素 K、维生素 B_1（硫胺）、维生素 B_2（核黄素）、维生素 H、维生素 B_5（双泛酰硫乙胺）、肌糖、维生素 B_{12}、铬、硅、硼和硫辛酸尚未发现不良反应。

第十五章

细胞营养

我已经介绍了一些令人沮丧或痛苦的疾病，而我的患者已经摆脱了那些疾病的困扰，重新获得健康并过上了幸福的生活。

但是我从没见过患者仅靠传统医药而取得这种疗效。每个人其实都拥有天然的自我修复能力。身体的构造是神奇而伟大的，我们必须去优化这些现有的天然屏障。我们必须利用人类最伟大的自我修复资产，"受益者"就是我们自己的身体。

有时候医生很难开展治疗。没有什么比处理免疫系统缺陷更让医生沮丧的事情了。这种现象经常出现在艾滋病患者或者正在进行化疗的患者身上。

这些患者会出现严重的感染。由于患者自身的免疫系统已不再起作用，医生们没有别的办法，只能拿出最强效的抗生素，希望并祈祷能对患者有作用。药物可能很好，但没有机体自我修复的能力，它们可能不会那么有效。

医生们既需要药物也需要健康的免疫系统，而这也是我呼吁人们使用高品质营养补充剂与药物互补的原因。

营养补充的最佳剂量

维生素 E、硒、钙、镁和维生素 C 是一些应该从食物中就能获取的营养，但是我们还在把它们当药物来研究。药物必须经过严格的临床试验来证明它们是安全有效的，因为它们是人工合成的物质，其目的是破坏天然的酶系统来达到医疗的效果。在上一章里我介绍了营养补充可能带来的安全方面的危险。但是这种危险很小，尤其与药物相比。这是由于它们实际上都是一些支持酶系统、抗氧化系统和免疫系统的天然物质。

因为我们现在能够生产营养补充剂，所以我们能够补充到最佳的剂量。最佳剂量指的是那些已经被医学杂志证明能够为健康提供帮助的剂量。它们不是 RDA 剂量。当这些营养成分同时以最佳剂量服用时，其结果是相当惊人的。

细胞营养只是为细胞提供最佳剂量的所有营养成分。这样细胞就能够决定它需要或不需要哪些成分。我们不需要判断细胞缺少哪种营养，只需要提供最佳剂量的所有这些重要的营养成分，而让细胞自己去决定。

正如有了烤面包机，我们不需要在技术方面了解得太深。只要把所有正确的成分（按照适当的比例先混合好料包）丢进去，你就能在几个小时后得到香喷喷的、热烘烘的自制面包。但是没有这种料包又或者忘记放酵母粉了呢？细胞营养也是一样的。你应该以一种完整的均衡的方式为细胞提供所有必需的营养。也只有这样细胞才能得到它们所需要的一切营养从而以最佳状态工作。

表 1　基本营养补充建议

抗氧化物质	你的抗氧化物质种类和数量越多越好。
维生素 A	我不建议直接服用维生素 A，因为它可能造成中毒。我们应该补充各种混合的类胡萝卜素。我们的身体会在必要时把类胡萝卜素转换成维生素 A 避免中毒。

类胡萝卜素	很重要的一点是应该服用各种类胡萝卜素的混合物而不是仅服用 β–胡萝卜素。 • β–胡萝卜素　10000～15000 个国际单位 • 番茄红素　1～3 毫克 • 叶黄素/玉米黄质　1～6 毫克 • α–胡萝卜素　500～800 微克
维生素 C	将维生素 C 与其他营养成分混合服用非常重要，尤其是混合了钙、钾、锌和镁的抗坏血酸，它对消除氧化应激更为有效。 • 1000～2000 毫克
维生素 E	很重要的一点是应服用天然维生素 E 的混合物：d–alpha 维生素 E、生育醇和三烯生育酚。 • 400～800 个国际单位
生物类黄酮抗氧化复合物	生物类黄酮也是一类强效的抗氧化物质，它们对营养补充很有帮助。虽然数量各异但是主要包括如下种类： • 芸香苷 • 槲皮（黄）素 • 椰菜 • 绿茶 • 十字花科蔬菜 • 越橘 • 葡萄籽精华素 • 菠萝蛋白酶
硫辛酸	• 15～30 毫克
辅酶 Q10	• 20～30 毫克
谷胱甘肽	• 10～20 毫克 • N-乙酰-L-半胱氨酸　50～75 毫克
维生素 B 族（辅助因子）	• 叶酸　800～100 微克 • 维生素 B_1（硫胺）　20～30 毫克 • 维生素 B_2（核黄素）　25～50 毫克 • 维生素 B_3（烟酸）　30～75 毫克 • 维生素 B_5（泛酸）　80～200 毫克 • 维生素 B_6　25～50 毫克 • 维生素 B_{12}（钴胺素）　100～250 毫克 • 维生素 H　300～1000 微克

其他重要的维生素	• 维生素 D_3（胆钙化甾醇）（450~800 个国际单位） • 维生素 K 50~100 微克
矿物质复合物	• 钙 800~1500 毫克取决于食谱中的钙摄取量 • 镁 400~800 毫克 • 锌 20~30 毫克 • 硒 200 微克是理想剂量 • 铬 200~300 微克 • 铜 1~3 毫克 • 锰 3~6 毫克 • 钒 30~100 微克 • 碘 100~200 微克 • 钼 50~100 微克 • 微量元素混合物
其他有助骨骼健康的营养成分	• 硅 3 毫克 • 硼 2~3 毫克
其他重要且必需的营养成分——调节三甲基甘氨酸含量和大脑功能	• 胆碱 100~200 毫克 • 三甲基甘氨酸 200~500 毫克 • 肌糖 150~250 毫克

表 2 食谱补充

必需脂肪酸	• 低温压榨的亚麻籽油 • 鱼油丸
补充纤维素	• 混合的可溶和不可溶纤维 10~30 毫克，取决于食谱中摄取的纤维素数量（每天摄取的总纤维素数量的理想值是 35~50 克）。 • 有些营养品公司会把这些必需的营养成分放在一到两种药片中，要达到这些补充量每天需要服用 2~3 次。请选用尽可能接近这些建议值的高品质产品。如果这些生产厂商遵循的是制药类的 GMP 和 USP 标准，那么你就肯定能够最大限度地预防氧化应激。必需脂肪酸和纤维素可以提供西方食谱中通常缺少的营养成分。

保护你的健康

营养补充其实是与健康而不是疾病有关的。消除慢性退行性疾病的根本原因才是真正的预防医学。

采用上述这些原则后，可以降低健康人患上慢性退行性疾病的风险性。而那些已经在与疾病作斗争的人则可增强体质，即使无法痊愈也能更好地与慢性退行性疾病作斗争。而当你把健康的饮食、适当的锻炼和细胞营养结合起来之后，你就是健康的赢家。

事实上一天一个苹果并不能让医生远离我们。今天，你需要高品质的营养品来做苹果的补充并均衡你的饮食。在这里，我会为你提出最佳细胞营养所需的基本营养建议。

当你以最佳剂量补充所有这些营养成分时，你的身体就能获得营养补充所带来的益处。LDL 胆固醇将不那么容易被氧化；高半胱氨酸的水平会降低；眼睛可以更好地防御阳光的氧化破坏；肺会有最好的保护；免疫系统和抗氧化防御系统都会得到增强；会降低你患心脏病、中风、癌症、黄斑变性、白内障、类风湿性关节炎、阿尔茨海默症、帕金森综合征、哮喘、糖尿病、多发性硬化症和狼疮等疾病的风险性。

要记住，为你的免疫系统和抗氧化系统提供最坚强的后盾才能与这个充满威胁的环境以及高度紧张的生活方式相抗衡。

特定优化剂

有时候，患者需要的营养比表 1 所列得多。如果患者正遭受持续性的疲劳或某种慢性退行性疾病的折磨，他体内的氧化应激就比平时更多，因此我会在他的补充计划中添加一些抗氧化物质。各家营养品公司都在不断地寻找更多更有效的抗氧化物质，但是目前最好的是葡萄籽精华素，其中含有前花青苷，是一些属于生物类黄酮类的有效的抗氧化物质，它们主要分布在水果带颜色的部分。

在与所有抗氧化物质和辅助营养同时使用时，葡萄籽精华素的抗氧化能力比维生素 E 高 50 倍，比维生素 C 高 20 倍。单独使用时，它的抗氧化能力仅是维生素 E 的 6 倍和维生素 C 的 3～4 倍。因此各种营养结合使用更有效果。

不要忘记葡萄籽精华素最重要的特性——那就是它能够直接穿越脑血屏障。对疲劳症患者，我通常会根据病情建议他们增加至少 100～200 毫克的葡萄籽精华素。患者通常只需 4～6 个星期就能够体会到明显的改善并且重新感觉正常。

已经得了多发性硬化症、心脏病、狼疮、克罗恩病、癌症或者帕金森综合征等慢性退行性疾病的患者，问题已经很严重了，这种情况下，即使日常水平的自由基也会对脂肪、蛋白和 DNA 造成明显的氧化破坏。这些患者要想重获健康，就需要更强效的抗氧化物质。在这种情况下，我也会在表 1 所列的基本细胞营养计划之外推荐优化剂。

我首选的优化剂通常是葡萄籽精华素，不过对于这些慢性退行性疾病患者，我建议的剂量往往比疲劳症的患者高出许多。

其他的优化剂包括辅酶 Q10、硫酸葡萄胺、叶黄素、玉米黄质、叶酸、镁和钙。

下面给出我针对各种不同的慢性退行性疾病采用优化剂的基本原则和营养成分。患者应服用表 1 中列出的营养成分，此外根据每个患者病情的轻重再额外添加优化剂。

除葡萄籽精华素以外，我推荐得最多的优化剂是辅酶 Q10。它不仅是一种有效的抗氧化物质，而且也是细胞产生能量所必需的营养成分。还是一种能增强免疫系统的重要营养。

但要注意的是：辅酶 Q10 很难吸收。我在下面的建议中给的是粉末状的剂量。如果你服用辅酶 Q10 油丸或者软胶囊的话应该减少使用剂量。

特定疾病需要添加的特定优化剂

心脏病

我会每天添加葡萄籽精华素和辅酶 Q10 各约 100 毫克，并额外添加镁，每天 200～300 毫克。我觉得重要的是这些患者应该服用一种含有表 1 中介绍的维生素 E 混合物的基础营养剂。

如果患者的高半胱氨酸水平不能降到 7 以下，我会在表 1 所列维生素 B 族的基础上增加 1～5 克的 TMG（三甲基甘氨酸）。

心肌病

我会给患者增加 300～600 毫克的辅酶 Q10，同时补充一些镁和 100 毫克的葡萄籽精华素。通常仅需 4 个月就能看到疗效。辅酶 Q10 是非常安全的，一些权威研究者也相信可以在患者低剂量使用反应不明显的时候把剂量提高到 600 毫克。不过在提高到这么大的剂量之前应先做一下辅酶 Q10 的血液含量检查。

癌症

很难为所有各种癌症开一个简单的配方。不过如果没有扩散迹象的癌症（或者外科医生相信已经完全摘除之后），分别添加 100～200 毫克的葡萄籽精华素和辅酶 Q10。如果患者为转移癌（扩散性的癌症），我会建议患者服用 300 毫克的葡萄籽精华素和 500～600 毫克的辅酶 Q10。8～15 岁的儿童服用表 1 所列营养和我建议的葡萄籽精华素及辅酶 Q10 的用量需减半。

视网膜黄斑变性

我基本上会建议他们在服用表 1 的营养成分之外增加 300 毫克的葡萄籽精华素。除此以外我还会添加 6～12 毫克的叶黄素。我发现患者如果能有所好转的话一般都会在开始的 4 个月内出现。

多发性硬化症

至少服用 400 毫克葡萄籽精华素、200～300 毫克辅酶 Q10，甚至有时还要增加 500～1000 毫克的维生素 C。我会告诉患者需要至少 6 个月才能看到疗效。

狼疮和克罗恩病

这些患者在基本营养补充之外还需要大约 300 毫克葡萄籽精华素和 200 毫克辅酶 Q10。同样，这些患者的病情 6 个月之后才有所好转。

骨关节炎

我会添加 1500～2000 毫克的硫酸葡萄胺和 100～200 毫克的葡萄

籽精华素。如果患者们觉得有必要的话，我觉得再添加400~600毫克硫酸软骨素甚至100毫克MSM。但现在尚无足够的医学证据证明这两种物质在这种情况下是优化剂。

类风湿性关节炎

同样，我会添加1500~2000毫克的硫酸葡萄胺、300毫克辅酶Q10、400毫克葡萄籽精华素，并且再增加200毫克镁和钙。另外我还会建议患者每天添加3~4粒鱼油丸或2茶匙低温压榨的亚麻籽油来补充omega-3脂肪酸。

骨质疏松症

对于这些患者我不会建议在表1的基础上加服优化剂；而是建议他们摄取适当剂量的维生素D、钙和镁，确保与食物一起服用。他们还需要加强上身的负重锻炼。

哮喘

我会添加200~300毫克葡萄籽精华素（儿童用量是每天每公斤体重2毫克），同时加服1000毫克维生素C（儿童用量200~500毫克）和200毫克镁（儿童只要再增加100毫克）。

肺气肿

表1列出的基本营养通常已经足够了。我可能也会增加200毫克葡萄籽精华素以及哮喘病所用的额外的维生素C和镁。

阿尔茨海默症和帕金森综合征

患者在确诊之前就已经损失了相当多的脑细胞。他们在早期阶段通过积极的营养补充可获得明显的改善。我建议在表1的基础上加服400毫克葡萄籽精华素。有医学证据显示通过这种方法可能会减缓阿尔茨海默症和帕金森综合征的病情。

糖尿病

我会在基本营养的基础上添加100~200毫克的葡萄籽精华素。表

1 所列的细胞营养已经足够满足身体其他部分的营养需求。

慢性疲劳症/纤维肌痛

在基本营养补充计划上我会添加 200~300 毫克葡萄籽精华素和 100~200 毫克辅酶 Q10。有时为了对付疾病我需要把葡萄籽精华素提高到每天 400 甚至 500 毫克。一旦患者出现好转，可以把剂量降到比较低的维持水平。

营养补充剂的选择

我写这本书的目的并不是想推荐某个品牌或某种类型的营养补充剂。不过要确保你能找到高品质的营养补充剂的确需要牢记几条要点：强烈建议大家不要只图价格低廉而牺牲自己的健康。一旦你确信营养补充对你的健康有好处，你一定希望确保自己花的钱值得。

服用低品质的营养品肯定不会达到我在这本书里所说的最佳疗效。因为这是一个极不规范的行业。你得花些时间与精力去检查产品质量。但是如果你希望保持健康的话，购买全面而且均衡的高品质营养补充剂非常重要。

任何行业都一样，原材料的选用和产品的生产方式都会影响产品质量。我建议患者购买他们经济条件能承受的最高品质的营养补充剂。我知道对多数人来说都需要从经济角度慎重考虑。但是一旦失去了健康，你就很难再重新获得它，不论你愿意或者能够花多少钱。

仔细分析我在表 1 中推荐的基本营养，你很快就会意识到单靠每天服用复合维生素片无法摄取到那么多营养。有几家公司现在把所有营养放在一种或者两种不同的药片中销售。但是要想摄取到最佳剂量，你可能每天需要服用好几次（4~8 片）。

你需要花点时间调查一下选择的营养品公司。信息可以通过该公司的网站获取，也可以通过打电话的方式。最重要的是要查出你选择的这家公司是否遵循了药品质量管理规范（GMP）。遵循该规范的公司的产品被称为符合药品标准的营养品。这意味着这家公司的生产流程与非处方药物的公司所遵循的规则相似。政府没有要求公司去这么做，但是有些公司希望通过生产高品质的符合制药标准的产品来使他们的用户相信自己所花的钱是值得的。

这些高品质的厂商会在产品中加入准确数量的成分，并且标明所有的成分。你可以在瓶子上看到有效期（这一点很好）和公司的完整地址。如果提供街道地址而不是邮政信箱的话更好。

要研究某家公司可以调查它的产品销往何处。一家在世界各地销售产品的公司需要遵守的质量标准通常要比仅在美国销售的公司要高。加拿大、澳大利亚和西欧国家对营养品制造的要求最高。其中有些国家还会定期派官员去生产车间进行实地考察。最好就是这家公司能出示一份关于生产质量方面的第三方证明。

这是否有点吹毛求疵呢？1997 年 11 月《塔夫茨大学通讯》报道了一项马里兰大学进行的调查，他们仔细地检查了 9 种不同配方的维生素片。他们没有研究其中到底含有哪些成分而只是检查它们是否能够溶解（如果药片甚至都不能溶解，那么里面有什么成分都无关紧要了）。他们发现 9 种药片中只有 3 种能够溶解。这是真的：9 种里面只有 3 种。而那些能溶解的药片是根据美国药典（USP）的标准来生产的。

这些政府规范使我们确信这些药物和营养品能够被我们的身体吸收。如果这家公司不能根据 USP 标准生产能溶解的药片的话，GMP 制药标准也失去了意义。选择一家遵守 USP 标准的公司是正确的。

要获取各家公司生产流程中采用的质量控制方法的信息比较困难。目前市场上琳琅满目的营养品数量多得让你无所适从。每家公司都希望能在这个竞争激烈的市场上有所作为。我们必须透过铺天盖地的广告去了解真相和他们的营养品的质量。

希望这些要点能帮得上你。

通过把健康饮食、适当锻炼和细胞营养结合在一起，你就能使自己保持健康或重获健康。

这本书里介绍的真实的临床病例向我们展示了机体所拥有的惊人的自我修复能力。这些患者可能仍然还患有这些疾病，其中许多人还在服用大量的药物，但是他们已经尽可能地过上了正常的生活。当医生们利用这一资源，并且认同它在治疗过程中的重要性时，药物治疗的临床疗效就可能得到提高。

　　特丽莎·罗得斯的《拿起你的十字架》这本书中向我们展示了她深远的智慧:"我们要永远记住生的短暂、死的必然和不朽的永远。"我们不可能永远生活在这些"躯壳"中。它们会磨损,而我们完全的救赎终会来临。但是在现在,这些健康观念才是保护我们健康的最好方法。

　　希望我们都能健康地活下去。